STEPHEN KING

(RICHARD BACHMAN)

RUNNING MAN

Traduit de l'américain par Frank Staschitz

Titre original :

THE RUNNING MAN

Compte à rebours... 100

Les yeux mi-clos, elle s'efforçait de lire le thermomètre à la lumière froide qui tombait de la fenêtre. Derrière elle, dans la bruine incessante, se dressaient les autres immeubles de Co-Op City. Au-dessous, dans le puits d'aération, du linge grisâtre séchait sur des fils. Tout en bas, des rats et des chats de gouttière bien nourris fouillaient dans les tas d'ordures.

Elle regarda son mari. Il était assis à la table, fixant le Libertel avec un regard d'une totale vacuité. Il faisait ça depuis des semaines. Ça ne lui ressemblait pas. Il avait toujours détesté le Libertel. Bien sûr, il y en avait un dans chaque appartement – c'était la loi – mais il n'était pas encore interdit de l'éteindre. La loi de 2021 sur la prestation obligatoire n'avait pas obtenu (à six voix près) la majorité requise des deux tiers. D'habitude, il ne la regardait jamais. Depuis que Cathy était malade, il suivait tous les jeux. En le voyant ainsi, une peur insidieuse s'emparait d'elle.

La voix hystérique du speaker donnant le flash d'infos de la mi-temps couvrait presque la toux sifflante et les gémissements de Cathy.

– Alors ? demanda Richards.

– Ça va...

– Me raconte pas de conneries !

– Elle a quarante.

Il abattit les deux poings sur la table, faisant voler une assiette en plastique qui tomba sur le sol avec un bruit creux.

– On va appeler un docteur... Ça ira, je t'assure. Tu te fais trop de bile. Ecoute...

Elle essayait en vain d'attirer son attention : il s'était de nouveau tourné vers l'écran, où le jeu avait repris. C'était un petit jeu de début d'après-midi, *Le Moulin de la fortune*. Seuls étaient acceptés les concurrents atteints de maladies chroniques du cœur, du foie ou des poumons, plus un ou deux estropiés pour les intermèdes comiques. La règle était simple : il fallait rester le plus longtemps possible sur un moulin de discipline, tout en bavardant sans trêve avec l'animateur. Chaque minute valait dix dollars. Toutes les deux minutes, l'animateur posait au concurrent une question-bonus à cinquante dollars, dans la catégorie choisie par celui-ci (le type qui passait en ce moment avait un souffle au cœur et sa spécialité était l'histoire des Etats-Unis). Si le concurrent, hors d'haleine, en proie au vertige, le cœur faisant des bonds fantastiques dans sa poitrine, loupait une question, on déduisait cinquante dollars de ses gains et le moulin était accéléré d'un cran.

– On s'en tirera, Ben, je t'assure. Vraiment. Je... Je vais...

– Tu vas faire quoi ? (Il lui lança un regard mauvais.) Te débrouiller, comme tu dis ? Non, Sheila, c'est fini, ça. Et puis, ça ne sert à rien. Ce qu'il lui faut, c'est un vrai médecin. Pas une sage-femme de quartier aux mains crasseuses et à l'haleine qui empeste le whisky. Avec tout le matériel moderne. Je vais m'en occuper.

Il traversa la pièce, sans pouvoir détacher son regard du Libertel scellé dans le mur au-dessus de l'évier. Il décrocha sa veste en cotonnade bon marché et l'enfila avec des gestes saccadés.

– Non ! Non, je... je t'interdis, tu m'entends ? Tu ne vas pas...

– Et pourquoi pas ? Au pire, tu toucheras une allocation de mère seule. D'une façon ou d'une autre, il faut trouver une solution.

Elle n'avait jamais été bien jolie, et était devenue maigre et sèche depuis que son mari ne travaillait plus. Mais en ce moment de rébellion, elle était presque belle.

– Pas question ! J'aime encore mieux faire une passe de deux dollars au gérant que de toucher une prime sur la peau de mon homme !

Il lui fit face, les mâchoires serrées, le regard sombre : conscient, et un peu fier aussi, de ce qui le rendait différent, de ce « quelque chose » d'invisible qui faisait de lui une proie toute désignée pour le Réseau. Il était une sorte de dinosaure. Pas bien gros, mais tout de même une survivance gênante. Un danger, peut-être. Les grands nuages se condensent autour de particules infimes.

Il montra la chambre à coucher.

– Tu préfères peut-être qu'elle soit jetée dans la fosse commune ? Ça te dirait, ça ?

A court d'arguments, elle fondit en larmes. Entre deux sanglots, elle fit un ultime effort :

– Mais c'est exactement ce qu'ils veulent, Ben. Ils veulent que les gens comme nous, comme toi...

– Ils ne me prendront peut-être pas, dit-il en ouvrant la porte. Je n'ai peut-être pas ce qu'ils cherchent.

– Ils vont te tuer ! Et je serai ici, à tout regarder. Tu tiens vraiment à ce que je voie cela, avec Cathy à côté de moi ?

– Je veux qu'elle vive.

Il essaya de refermer la porte, mais elle s'interposa :

– Embrasse-moi, au moins.

Il l'embrassa. Au bout du couloir, Mme Jenner entrouvrit sa porte pour jeter un coup d'œil. Une succulente, une intolérable odeur de choux et de corned-beef leur parvint. Mme Jenner se débrouillait bien. Elle était aide-caissière au drugstore du quartier, et avait un flair extraordinaire pour repérer les porteurs de fausses cartes.

– Tu prendras l'argent ? demanda Richards. Tu ne feras pas d'idioties ?

– Je le prendrai, murmura-t-elle. Tu sais bien que je le prendrai.

Il la serra gauchement contre lui, puis l'écarta et, sans se retourner, plongea dans l'escalier sombre et abrupt.

Figée sur le seuil, secouée par des sanglots silencieux, elle l'écouta descendre les cinq étages, puis claquer la porte. Elle s'essuya les yeux avec un coin de son tablier, tenant toujours à la main le thermomètre avec lequel elle avait pris la température du bébé.

Mme Jenner arriva sans bruit et lui toucha le bras pour attirer son attention.

– Chérie... Quand vous aurez l'argent, je peux vous trouver de la pénicilline au marché noir... Pas cher... et de première qualité...

– Foutez le camp ! hurla-t-elle.

Mme Jenner eut un mouvement de recul et retroussa instinctivement la lèvre supérieure, révélant des chicots noircis.

– C'était juste pour rendre service, ronchonna-t-elle avant de regagner son logement d'un pas pressé.

Derrière la mince cloison de plastibois, les vagissements de Cathy continuaient. Ils furent bientôt couverts par les rugissements venus du Libertel : le concurrent du *Moulin de la fortune* venait simultanément de rater une question et d'avoir une crise cardiaque. Des assistants l'emmenaient sous les applaudissements du public.

Le visage agité par un tic, Mme Jenner nota le nom de Sheila Richards sur son calepin.

– Nous verrons ça, ma petite sainte nitouche, marmonna-t-elle... Nous verrons qui aura le dernier mot.

Elle referma le calepin d'un geste sec et s'installa pour regarder le jeu suivant.

Compte à rebours... 099

Lorsque Richards arriva dans la rue, la bruine s'était transformée en pluie. Sur l'immeuble d'en face, le thermomètre publicitaire de DOKES *(Juste la bonne température pour allumer une Dokes... Seuls les riches fument des Dokes !)* indiquait dix degrés. Il devait donc faire dans les quatorze dans l'appartement. Et la petite Cathy avait la grippe...

Un rat traversa sans se presser la chaussée de béton craquelé. A cheval sur le trottoir, l'épave d'une Humber 2013 finissait de rouiller. Elle avait été dépouillée de tout ce qui pouvait se démonter, y compris les roues et le carter du moteur, mais les flics n'étaient pas venus l'enlever. Depuis des années, ils ne s'aventuraient plus guère au sud du Canal. Co-Op City était un dédale de cages à lapins ponctué de parkings hantés par les rats, de terrains de jeu bétonnés, de magasins fermés. Les gangs de motards y faisaient la loi. Les rues étaient silencieuses et fantomatiques. Ceux qui ne pouvaient éviter de sortir prenaient le pneumo-bus ou s'armaient d'un cylindre de gaz.

Il marchait vite, sans penser, sans regarder autour de lui. L'air épais avait une odeur sulfureuse. Quatre motards le croisèrent en rugissant. L'un d'eux lui lança un pavé, qu'il évita aisément. Deux pneumos passèrent dans un grand déplacement d'air, mais il ne leur fit pas signe. Il n'avait pas de quoi prendre un ticket : les vingt dollars (*anciens* dollars) de son allocation de chômage hebdomadaire avaient été dépensés jusqu'au dernier *cent*. Les bandes qui écumaient le quartier devaient sentir son dénuement : personne ne l'embêta.

Grands ensembles, lotissements, clôtures métalliques, parkings vides, fenêtres aux vitres brisées, sacs poubelles déchiquetés par les rats, ordures entraînées par la pluie, graffiti tracés à la craie sur le sol et les murs : LAISSE PAS LE SOLEIL SE LEVER SUR TOI, T'ENTENDS ! ÇA BAT LES DOKES ! TA MAMAN ÇA LA DÉMANGE. PÈLE TA BANANE. TOMMY DEALE. HITLER ÉTAIT COOL. MARY. SID. À MORT LES YOUPINS. Les vieilles lampes à sodium installées par G-A dans les années 70 étaient depuis longtemps brisées à coups de pierres. Pas de danger qu'on vienne les remplacer. Les technicos restent au nord du fleuve, mon gars, dans les quartiers résidentiels. Là où c'est « cool ». Ils marchent aux nouveaux dollars.

Tout est silencieux, à part l'écho des pas de Richards et le chuintement proche ou lointain des pneumos. Ce champ de bataille ne s'anime que la nuit. Le jour, c'est un désert gris et silencieux où seuls bougent les chats, les rats et les grosses larves blanches qui couvrent les tas d'ordures. Partout règne l'odeur de pourriture et de mort de cette belle année 2025. Les câbles du Libertel sont enterrés à bonne profondeur ; seul un idiot ou un révolutionnaire essaierait de s'y attaquer. Le Libertel, c'est le pain de la vie, l'étoffe dont sont faits les songes. La poudre vaut douze anciens dollars le sachet et le Frisco Push, vingt la tablette, mais le Libertel vous envoie en l'air à l'œil. Là-bas, de l'autre côté du Canal, l'usine à rêves tourne vingt-quatre heures sur vingt-quatre... mais elle tourne aux nouveaux dollars, et seuls ceux qui travaillent en ont. Au sud du Canal, à Co-Op City, ils sont quatre millions, presque tous au chômage.

Au bout de quatre à cinq kilomètres, les magasins de liqueurs et les fumeries devinrent plus nombreux, et leurs grilles, moins solides. Richards passa aussi devant deux ou trois clubs X *(24 perversions – Venez les compter, 24 !)*, quelques prêteurs sur gages, des Boutiques du Sang. A tous les coins de rues, des dealers sur leurs motos, des caniveaux pleins de mégots de joints. Seuls les riches fument des Dokes !

Il voyait les gratte-ciel se dresser vers les nuages, hauts et immaculés. Le plus haut de tous était le Building des Jeux, cent étages, la moitié supérieure cachée par la brume de pollution. Le regard fixé sur le building, il parcourut encore un bon kilomètre. Des cinémas luxueux, des fumeries qu'aucun grillage ne protégeait (mais des privés montaient la garde, un aiguillon électrique à la ceinture). Un flic municipal à chaque croisement. Le parc de la Fontaine du Peuple : entrée, 75 *cents*. Des mamans bien habillées regardaient leurs enfants s'ébattre sur le gazon artificiel, à l'abri d'une solide clôture ; la porte était surveillée par deux flics, un dedans, un dehors. Richards eut un pathétique aperçu de la fontaine.

Il traversa le Canal.

Le Building des Jeux paraissait de plus en plus immense, rangées sans fin de fenêtres identiques, parements de granit brillant. Les flics regardaient Richards du coin de l'œil, prêts à intervenir s'il faisait mine de s'arrêter : au nord du Canal, un homme au pantalon élimé, aux cheveux mal coupés et aux yeux cernés ne peut avoir qu'un seul but, les Jeux.

Les tests de qualification commençaient à midi précis ; lorsque Richards prit sa place, il se trouvait presque à l'ombre du building ; pourtant, la file d'attente serpentait devant lui sur encore un bon kilomètre. D'autres arrivaient sans cesse. Les policiers les observaient, une main sur le pistolet et l'autre sur l'aiguillon. Ils arboraient des sourires méprisants et anonymes.

– Dis donc, Frank, tu ne trouves pas qu'il a l'air d'un crétin, celui-là ?

– Y a un type qui vient de me demander s'il y a des toilettes ! Non mais tu te rends compte !

– Ces fils de pute sont...

– Tueraient leur propre mère pour...

– Puent comme s'ils s'étaient pas lavés depuis...

Tête baissée sous la pluie, ils tapaient des pieds pour se réchauffer. Petit à petit, la file avançait.

Compte à rebours... 098

Il était 4 heures passées lorsque Ben Richards arriva à la réception et fut dirigé vers le guichet 9 (Q-R). La femme assise devant le plastoperf avait une expression lasse, cruelle et impersonnelle. Elle le regarda sans le voir.

– Nom, prénoms.

– Richards, Benjamin Stuart.

Les doigts effleurèrent le clavier. *Clic-clataclac-clac*, fit la machine.

– Age-poids-taille.

– Vingt-six, quatre-vingts, un mètre quatre-vingt-cinq.

Clataclic-clac.

– Q.I. certifié par test de Weschler si vous le connaissez et âge auquel vous avez subi le test.

– Cent vingt-six. Quatorze ans.

Clic-clac-clic.

Dans le hall disproportionné, les bruits résonnaient comme dans un mausolée. Questions et réponses.

Pleurs et gémissements. Protestations rauques. Parfois, un cri. Questions, encore et toujours.

– Dernière école fréquentée ?

– Métiers manuels.

– Vous avez obtenu le diplôme ?

– Non.

– Combien d'années d'études, et à quel âge avez-vous arrêté ?

– Deux ans. Seize ans.

– Raison de l'interruption des études ?

– Je me suis marié.

Clataclic-clac-clac.

– Nom et âge du conjoint.

– Sheila Catherine Richards. Vingt-six.

– Nom et âge du ou des enfants éventuels.

– Catherine Sarah Richards, dix-huit mois.

Clac-clic-clac.

– Une dernière question. Inutile de mentir : on le verrait à l'examen médical et vous seriez immédiatement disqualifié. Avez-vous jamais pris de l'héroïne ou des amphétamines synthétiques appelées San Francisco Push ?

– Non.

Clic.

Une carte en plastique fut éjectée de l'appareil. Elle la lui tendit.

– Ne la perdez surtout pas. Vous seriez obligé de tout recommencer la semaine prochaine.

Elle le voyait, maintenant : le visage au regard rageur, le corps maigre et musclé. Plutôt bien fichu. Pas trop bête. Bonnes réponses.

Elle reprit brusquement la carte et en coupa le coin supérieur droit.

– Pourquoi avez-vous fait cela ?

– Vous occupez pas. On vous expliquera plus tard. Peut-être.

Elle lui rendit la carte et désigna un long couloir

donnant sur les ascenseurs. Par dizaines, des hommes arrivaient des guichets, montraient leur carte d'identification et avançaient. L'un d'eux, sûrement un habitué du Push, au teint cireux, aux mains tremblantes, fût refoulé. Il gagna la sortie en pleurant, mais sans faire d'histoires.

– C'est dur, la vie, commenta sèchement la femme du guichet. Allez, avancez.

Richards avança. Derrière lui, la litanie recommençait déjà.

Compte à rebours... 097

A l'entrée du couloir, une main s'abattit lourdement sur son épaule.

– Eh ! Toi, ta carte !

Richards la montra. Le flic se détendit. Son visage de fouine exprimait la déception.

– Ça vous plaît de refouler les gars, hein ? lui dit Richards. Ça vous donne de l'importance.

– Tu veux retourner d'où tu viens, minus ?

Richards avança. Le flic ne fit rien pour l'en empêcher.

Arrivé à mi-chemin des ascenseurs, il se retourna :

– Eh, m'sieur ! (Le policier le regarda d'un air menaçant.) Vous avez une famille ? La semaine prochaine, ça pourrait être vous !

– Circulez ! cria le flic, furieux.

Une vingtaine de candidats attendaient devant les ascenseurs. Richards montra sa carte au flic de service. Celui-ci l'examina attentivement.

– T'aimes jouer au dur, fiston ?

Richards sourit.

– Ça m'arrive.

— Ils vont vite te ramollir, t'en fais pas. Tu feras le malin, quand t'auras trois balles dans la peau ?

— Autant que vous sans votre revolver et avec votre froc à vos pieds, rétorqua Richards sans cesser de sourire.

Un moment, il crut que le flic allait l'assommer, mais il se contenta de dire :

— Tu perds rien pour attendre. Tu te traîneras à genoux avant que ça soit fini, t'inquiète pas.

Le flic se tourna vers de nouveaux arrivants et demanda à voir leur carte.

L'homme qui attendait devant Richards se retourna. Il avait un visage triste et malheureux ; ses cheveux bouclés faisaient des crans.

— Tu sais, mon gars, tu devrais pas les asticoter comme ça. Le téléphone arabe, ça marche.

— Vraiment ? répondit Richards avec affabilité.

L'homme se détourna.

Les portes du premier ascenseur s'ouvrirent soudain. Un flic noir au gros ventre protégeait la rangée de boutons de son large dos. Au fond de la cabine, un autre policier, assis derrière un panneau en plastique à l'épreuve des balles, lisait un magazine sado en 3-D. Il tenait un fusil à canon scié entre les genoux.

— Serrez au fond ! cria le gros flic d'un air important. Allons, serrez !

Tassés au point qu'il devenait impossible de respirer, ils montèrent d'un étage. Les portes s'ouvrirent. Richards, qui dépassait tous les autres d'une tête, vit une vaste salle d'attente avec des rangées de sièges et un énorme Libertel. Il aperçut aussi, dans un coin, un distributeur de cigarettes.

— Sortez ! Sortez tous ! Les cartes à la main gauche !

Sous la surveillance de trois policiers, chacun montra sa carte à l'œil impersonnel d'une caméra. Pour une raison inconnue, une sonnerie retentit à la vue d'une douzaine de cartes, dont les détenteurs furent ramenés dans l'ascenseur.

Richards montra sa carte. On lui fit signe d'avancer. Il alla droit vers la machine à cigarettes, obtint un paquet de Blams et s'assit le plus loin possible du Libertel. Il alluma une cigarette et rejeta la fumée en toussant. C'était sa première depuis six mois.

Compte à rebours... 096

Peu après, les « A » furent appelés pour l'examen médical. Une quinzaine de candidats se précipitèrent vers une porte située derrière l'écran géant. Un panneau accompagné d'une grosse flèche rouge indiquait PAR ICI. Le niveau d'instruction des candidats aux Jeux était notoirement bas.

On appelait une nouvelle lettre toutes les dix-quinze minutes. Comme Ben Richards était arrivé vers cinq heures, il estima qu'il ne passerait guère avant neuf heures.

Il regrettait de ne pas avoir amené de livre, mais c'était peut-être préférable. Les livres étaient mal vus, surtout entre les mains d'un homme habitant au sud du Canal. Les magazines sados, c'était plus sûr.

Il suivit le journal de 6 heures (en Equateur les combats avaient redoublé ; nouvelles émeutes cannibales en Inde ; victoire par 2 à 6 des Tigres de Detroit sur les Léopards de Harding). Lorsque le premier des grands Jeux de la soirée commença à 6 h 30, il s'approcha de la fenêtre. Il ne tenait plus en place. Maintenant que sa décision était prise, les Jeux ne l'intéressaient plus tellement. Presque tous les autres regardaient *Sacrés Fusils !* avec une fascination morbide. La semaine prochaine, ce serait peut-être leur tour.

Dehors, il faisait presque nuit. Les rames du métro aérien fonçaient dans les arceaux magnétiques, perçant la brume jaunâtre de leurs phares puissants. En bas, sur le trottoir, la foule (surtout des technicos et des bureaucrates du Réseau) commençait sa quête quotidienne de plaisirs. En face, un dealer certifié vantait sa marchandise. Un homme passa, une poupée en vison à chaque bras. Le trio riait bruyamment.

Pris d'une soudaine nostalgie, il pensa à Sheila et Cathy. S'il pouvait leur téléphoner, au moins... Ce n'était sans doute pas autorisé. Evidemment, il pouvait s'en aller ; plusieurs l'avaient déjà fait. Il suffisait de franchir la porte marquée SORTIE. Regagner le logement, revoir sa fille qui délirait de fièvre ? Non, pas question.

Il resta encore un moment à la fenêtre, puis retourna s'asseoir. Un nouveau Jeu commençait : *Creusez votre tombe.*

L'homme assis à la droite de Richards le tira par la manche.

– C'est vrai qu'ils en éliminent plus de trente pour cent rien qu'à l'examen médical ? demanda-t-il avec anxiété.

– Aucune idée, répondit Richards.

– Quelle misère ! dit l'autre. J'ai une bronchite chronique. Peut-être *Le Moulin de la fortune*... ?

Richards ne trouva rien à répondre. En respirant, le type faisait un bruit de vieux camion gravissant une colline.

– J'ai une famille, moi, ajouta l'homme avec une résignation désespérée.

Richards regarda le Libertel comme si cela l'intéressait.

L'autre garda longtemps le silence. Lorsque le programme changea de nouveau à 7 h 30, Richards l'entendit interroger son voisin de droite.

Il faisait complètement nuit. Richards se demanda s'il pleuvait toujours. La soirée risquait d'être longue.

Compte à rebours... 095

Lorsque les « R » franchirent la porte surmontée de la flèche rouge, il était un peu plus de 9 h 30. Avec le temps, les hommes s'étaient calmés. La plupart regardaient passivement le Libertel, ou bien somnolaient. L'homme à la bronchite avait un nom commençant par L : il était passé plus d'une heure auparavant. Richards se demanda s'il avait été éliminé.

La salle d'examen, très longue, était éclairée par des tubes fluorescents qui se reflétaient sur le carrelage blanc. Les médecins étaient placés à intervalles réguliers, comme sur une chaîne de montage.

« L'un de vous viendrait-il soigner ma petite fille ? » pensa Richards avec amertume.

Les candidats montrèrent leur carte à une autre caméra scellée dans le mur, près d'un vestiaire. Un médecin en longue blouse blanche arriva.

– Déshabillez-vous. Mettez vos vêtements dans un casier. Souvenez-vous du numéro du casier et annoncez-le à l'assistant quand vous aurez terminé. Vous pouvez sans crainte laisser vos objets de valeur. Ici, personne ne les volera.

« Objets de valeur... Elle est bien bonne », se dit Richards en déboutonnant sa chemise. Dans ses poches, il n'avait qu'un portefeuille vide, quelques photos de Sheila et de Cathy, une facture de cordonnier vieille de six mois, un porte-clefs avec une seule clef, celle du logement, une chaussette de bébé (que faisait-elle là ?) et le paquet de Blams qu'il avait pris au distributeur.

Il portait un caleçon tout déchiré – Sheila tenait

absolument à ce qu'il en mît un – mais la plupart des hommes n'avaient rien sous leur pantalon. Ils se remirent en file, nus et anonymes, leurs pénis se balançant tristement entre leurs jambes, pareils à des massues inutiles. Chaque homme tenait sa carte à la main. Une légère et nostalgique odeur d'alcool emplissait l'air.

– Restez en ligne, disait le docteur. Montrez toujours votre carte, suivez les instructions.

La file avança. Richards vit que chaque médecin était accompagné d'un policier. Il baissa les yeux et attendit passivement.

– Carte.

Il tendit sa carte. Le premier docteur nota le numéro.

– Ouvrez la bouche.

Richards ouvrit la bouche. Le docteur abaissa sa langue avec une spatule.

Le docteur suivant examina ses pupilles à l'aide d'une vive lumière, puis regarda dans ses oreilles.

Le suivant posa le rond froid d'un stéthoscope sur sa poitrine.

– Toussez.

Richards toussa. Un peu plus loin, les flics entraînaient un homme. Ils ne pouvaient pas lui faire ça, protestait-il. Il avait besoin d'argent. Il allait saisir son avocat...

Le docteur déplaça le stéthoscope.

– Toussez.

Richards toussa. Le docteur le fit tourner sur lui-même et posa le stéthoscope sur son dos.

– Inspirez profondément et retenez votre souffle. (Le stéthoscope se déplaça.)

– Expirez.

(Richards expira.)

– Avancez.

Un petit médecin tout souriant, avec un bandeau noir sur l'œil gauche, prit sa tension. Un autre, chauve et obèse, qui avait de grosses taches brunes sur le crâne, plaça une main entre ses cuisses.

– Toussez.

(Richards toussa.)

– Avancez.

On lui prit sa température. Puis il dut cracher dans un bol. Il arrivait à mi-chemin. Trois ou quatre hommes avaient fini ; un assistant leur amenait les casiers contenant leurs vêtements. Six ou sept autres furent dirigés vers la sortie avant d'être arrivés au bout.

– Penchez-vous en avant et écartez les fesses.

Un doigt ganté de plastique explora son rectum puis se retira.

– Avancez.

Il entra dans une cabine (elle ressemblait tout à fait à un isoloir du XXe siècle ; depuis l'introduction du vote électronique, il n'y en avait plus, bien entendu) et urina dans un récipient de plastique bleu, que le médecin numérota et rangea dans un casier.

Ensuite, il se trouva face à un tableau plein de lettres.

– Lisez, dit le docteur.

– E – A, L – D, M, F – S, P, M, Z – K, L, A, C...

– Suffit. Avancez.

Il entra dans un autre « isoloir » et coiffa un casque. Un docteur lui dit d'appuyer sur un bouton blanc dès qu'il entendrait quelque chose, et sur un bouton rouge quand il n'entendrait plus rien. Le son était faible et très aigu, comme un gémissement de chien à la limite des ultrasons. Richards appuya sur les boutons jusqu'à ce que le docteur lui dise d'arrêter.

On le pesa. On examina la plante de ses pieds. Un docteur qui mâchait sans relâche du chewing-gum en fredonnant quelques notes le plaça devant un fluoroscope et prit plusieurs clichés.

Richards était arrivé avec un groupe d'une trentaine de candidats. Douze étaient arrivés au bout. Une douzaine d'autres avaient été éliminés. L'un d'eux s'était précipité sur le médecin qui l'avait rejeté. Aussitôt, un flic lui avait flanqué une décharge d'aiguillon électrique ; l'homme était tombé raide.

Le docteur suivant, installé à une table basse, lui demanda s'il avait eu toute une série de maladies, la plupart respiratoires. Le docteur sursauta lorsque Richards lui dit qu'il y avait un cas d'influenza dans sa famille.

– Votre femme ?

– Non, ma fille.

– Age ?

– Un an et demi.

– Avez-vous été immunisé ? Ne mentez pas ! Nous avons les moyens de vérifier !

Le docteur avait presque crié, comme si Richards avait déjà essayé de mentir.

– Immunisé juillet 2023. Rappel septembre 2023. Clinique de quartier.

– Avancez.

Au dernier arrêt, une femme à l'expression sévère, aux cheveux coupés très court, portant une prothèse auditive, commença par lui demander s'il était homosexuel.

– Non.

– Avez-vous jamais été arrêté pour délit sexuel ?

– Non.

– Souffrez-vous de phobies graves ? Je veux dire par là...

– Non.

– Attendez que je vous explique, dit-elle avec une pointe de condescendance. Cela signifie...

– Si j'ai des peurs inexpliquées et incontrôlables, comme l'acrophobie ou la claustrophobie ? Non, je n'en ai pas.

La femme médecin le toisa un moment, puis continua le questionnaire.

— Avez-vous pris des drogues hallucinogènes ou d'autres stupéfiants entraînant une accoutumance ?

— Non.

— Un quelconque membre de votre famille a-t-il été arrêté pour crime contre le gouvernement ou contre le Réseau ?

— Non.

— Signez ce serment de fidélité et cette décharge au bénéfice de la Commission des Jeux, M. ... Richards.

Il griffonna sa signature.

— Montrez votre carte à l'assistant et donnez-lui le numéro...

Sans attendre qu'elle eût terminé, il fit signe à l'assistant.

— Numéro vingt-six, mon pote.

L'assistant, un grand gaillard maigre aux dents saillantes, lui apporta ses affaires. Richards s'habilla sans se presser et alla attendre devant l'ascenseur. Il avait une curieuse sensation à l'anus, comme si le docteur l'avait violé avec son doigt enduit de vaseline.

Lorsqu'ils furent tous assemblés, les portes de l'ascenseur s'ouvrirent. Cette fois, il n'y avait pas de flic armé au fond. Tandis qu'elles se refermaient, Richards vit les « S » arriver à l'autre bout de la salle, et le médecin en blouse blanche s'approcher d'eux.

Ils montèrent de nouveau d'un seul étage. Les portes s'ouvrirent sur un immense dortoir faiblement éclairé : des rangées de lits de camp qui semblaient s'étendre à l'infini.

Deux flics postés à la sortie de l'ascenseur leur indiquèrent le numéro de leur lit. Richards eut droit au 940. Il y avait une couverture marron et un oreiller très plat. Richards s'allongea et fit tomber ses chaussures au pied du lit. Ses pieds dépassaient, mais c'était irrémédiable.

Il croisa les bras sous la tête et s'abîma dans la contemplation du plafond.

Compte à rebours... 094

A 6 heures du matin, une sonnerie stridente le tira du sommeil. D'abord tout désorienté, il se demanda ce qui lui arrivait ; Sheila avait-elle acheté un réveil ? Il ouvrit les yeux et revint au présent.

Par groupes de cinquante, ils allèrent dans une immense salle de toilette, où chacun montra sa carte à une caméra gardée par un policier. Richards entra dans une cabine au carrelage bleu, qui contenait une douche, un lavabo, un miroir et des toilettes. Sur la tablette placée au-dessus du lavabo, il y avait plusieurs brosses à dents enveloppées de cellophane, un rasoir électrique, une savonnette et un tube de dentifrice entamé. Une petite pancarte glissée dans un coin du miroir disait : RESPECTEZ CES BIENS ! Au-dessus, quelqu'un avait gribouillé : JE NE RESPECTE QUE MON CUL !

Richards prit une douche, s'essuya avec une des serviettes empilées sur la chasse d'eau, se rasa et se brossa les dents.

Ils furent conduits à une cafétéria où ils durent de nouveau montrer leur carte. Richards prit un plateau et le poussa sur le comptoir en inox. On lui servit un petit carton de corn-flakes, une assiettée de frites graisseuses, une portion d'œufs brouillés, un toast froid et dur comme le marbre, un verre de lait, une tasse de café boueux, un sachet de sucre et un autre de sel, et un cube de succédané de beurre sur un carré de papier huileux.

Il avala goulûment le repas – comme tous les autres. Il ne se souvenait même plus d'avoir mangé autre chose que les pilules alimentaires distribuées par le gouvernement, ou de temps à autre une portion de pizza aux graillons. Enfin de la vraie nourriture ! Mais elle était curieusement insipide, comme si un vampire avait absorbé toute la saveur pour ne laisser que des protéines et des hydrates de carbone bruts.

Que mangeaient-*elles* ce matin ? Des pilules aux algues, du lait synthétique pour le bébé... Il sentit le découragement l'envahir. Toucheraient-elles jamais de l'argent ? Demain ? La semaine prochaine ? Ou bien tout cela n'était-il qu'un mirage, un arc-en-ciel chatoyant avec rien au bout ?

Il resta à fixer son assiette vide jusqu'à la sonnerie de sept heures. Les hommes se levèrent et gagnèrent l'ascenseur.

Compte à rebours... 093

Au troisième étage, le groupe de cinquante dont Richards faisait partie fut conduit dans une salle longue et nue. Des fentes ressemblant à des boîtes aux lettres étaient pratiquées dans le mur de droite.

Un grand homme mince, aux cheveux clairsemés, portant l'emblème des Jeux (une torche avec la silhouette d'une tête humaine, en surimpression) sur sa blouse blanche, annonça :

– Déshabillez-vous, s'il vous plaît, et retirez tous les objets de valeur de vos poches. Ensuite, jetez vos vêtements dans une des bouches de l'incinérateur. Vous allez recevoir des combinaisons officielles. (Il eut un sourire magnanime.) Vous pourrez les garder quelle que soit la décision finale du Conseil.

Il y eut quelques protestations étouffées, mais tous s'exécutèrent.

L'homme tapa à deux reprises dans ses mains, comme un instituteur de village annonçant la fin de la récréation.

– Dépêchons-nous ! Nous avons encore beaucoup à faire aujourd'hui !

– Vous allez également participer aux Jeux ? lui demanda Richards.

L'homme le regarda avec la stupéfaction la plus totale. Derrière eux, quelqu'un ricana.

– Peu importe, dit Richards en ôtant son pantalon.

Il garda ses objets de valeur dénués de valeur et jeta les vêtements dans une des fentes ; il vit, tout en bas, une flamme avide les engloutir.

La porte située à l'extrémité de la salle s'ouvrit (il y avait *toujours* une porte à l'autre bout ; ils étaient comme des rats pris dans un labyrinthe vertical : « un labyrinthe typiquement américain », songea Richards). Des hommes apparurent, poussant des caddies marqués S, M, L, et XL. Richards choisit un XL (mieux valait prendre trop grand que d'être gêné dans ses mouvements) ; il lui allait parfaitement. Le tissu était à la fois épais et doux, un peu comme de la soie, mais plus solide. Il y avait une fermeture à glissière en plastique sur le devant, et l'insigne des Jeux sur la poche-poitrine droite. Lorsque tous les membres du groupe les eurent revêtus, Richards eut l'impression d'avoir perdu son identité.

– Par ici, s'il vous plaît.

L'homme en blouse blanche les emmena dans une nouvelle salle d'attente. Derrière l'inévitable Libertel caquetant, il y avait la tout aussi inévitable pancarte PAR ICI avec sa flèche rouge.

– On vous appellera par groupe de dix, annonça l'homme.

Ils s'assirent. Au bout d'un moment, Richards alla regarder par la fenêtre. Ils étaient plus haut, mais il faisait toujours aussi gris et pluvieux. Il se demanda ce que faisait Sheila.

Compte à rebours... 092

A 10 h 15, il franchit la porte avec un groupe. Ils avançaient en file indienne, chacun montrant sa carte. La salle était presque luxueuse : murs revêtus de panneaux de liège, moquette (les pieds de Richards avaient du mal à s'habituer à cette sensation nouvelle), éclairage indirect. Des cloisons la divisaient en dix cellules. Des haut-parleurs invisibles diffusaient de la musique douce.

L'homme à la blouse lui dit quelque chose.

— Pardon ? fit Richards, tiré de ses réflexions.

— Cabine six, répéta l'homme sur un ton réprobateur.

— Bien.

Dans la cabine, il y avait une chaise et une table. Sur celle-ci, étaient posés un crayon GA-IBM et une liasse de feuilles de papier jaunâtre. Sur le mur, à hauteur d'œil, une grosse horloge.

A côté de tout cela, se tenait une prêtresse de l'ère informatique, une éblouissante blonde aux formes généreuses, vêtue d'un short fluorescent qui dessinait nettement le triangle de son pubis. Ses mamelons très maquillés pointaient insolemment à travers les mailles d'un corsage en résille.

— Asseyez-vous, je vous prie, dit-elle. Je suis Rinda Ward, votre examinatrice.

Elle lui tendit la main. Encore tout éberlué, Richards la serra avec précaution.

– Benjamin Richards.

– Je peux vous appeler Ben ?

Le sourire était séducteur mais anonyme. Richards ressentit exactement le désir impersonnel qu'il était censé ressentir pour cette femelle qui exhibait sans vergogne son corps bien nourri. Cela l'irrita. Il se demanda si elle prenait son pied de cette façon, en s'exhibant devant des pauvres mecs en route pour le hachoir à viande.

– Bien sûr, dit-il. Jolis nichons.

– Merci, dit-elle sans se formaliser.

Il s'était assis ; l'angle sous lequel il la voyait maintenant était encore plus... intéressant, ou embarrassant, au choix.

– Nous allons aujourd'hui tester vos facultés mentales, de la même façon que l'examen médical que vous avez subi hier testait votre corps. Le test sera assez long. Un déjeuner sera servi vers 15 heures... à moins que vous ne soyez recalé. (Le sourire s'évanouit un instant puis revint de plus belle.) Nous allons commencer par l'épreuve de lettres. Vous avez exactement une heure. Vous pouvez poser des questions durant l'examen, et j'y répondrai si j'en ai le droit. Je ne peux évidemment pas vous donner les réponses aux questions du dossier. Vous avez compris ?

– Oui.

Elle lui tendit un mince dossier. Sur la couverture, était imprimée une grande main de couleur rouge ainsi que le mot : STOP ! Au-dessous, en petits caractères : *N'ouvrez pas le dossier avant que l'examinateur ne vous le dise.*

– Bigre ! dit Richards.

– Pardon ?

Les sourcils minutieusement épilés se levèrent d'un cran.

– Rien.

– En ouvrant le dossier, vous trouverez un feuillet

spécial pour marquer vos réponses, récita-t-elle. Ecrivez lisiblement, en appuyant bien. Si vous désirez changer une réponse, gommez-la soigneusement. Si vous ignorez une réponse, ne mettez rien ; n'essayez pas de *deviner*. Vous avez compris ?

– Oui.

– Bien. Ouvrez, prenez le feuillet un et commencez. Lorsque je dirai « Stop », posez le crayon. Vous pouvez commencer.

Au lieu de commencer, il regarda insolemment les formes offertes de la fille. Au bout d'un moment, elle rougit.

– Votre heure a commencé, Ben. Vous feriez mieux...

Richards l'interrompit :

– Pourquoi croyez-vous tous que ceux qui habitent au sud du Canal sont des débiles mentaux en rut ?

Complètement désarçonnée, elle ne put que balbutier :

– Je... Je n'ai jamais...

– Non, jamais, dit Richards en souriant. Vous êtes vraiment aussi bouchés les uns que les autres !

Il prit le crayon et se mit au travail, tandis qu'elle essayait de s'expliquer l'agressivité soudaine de Richards ; selon toute probabilité, elle ne comprenait réellement pas.

La première partie consistait à compléter des phrases.

1. – Une... ne fait pas le printemps.
   a) pensée
   b) bière
   c) hirondelle
   d) attaque
   e) autre mot

Il termina la feuille rapidement, ne s'interrompant presque jamais pour réfléchir. Ensuite, il y avait une épreuve de vocabulaire, et une autre consistant à donner les contraires d'une série de mots. Lorsqu'il eut fini, il lui restait encore vingt minutes, mais elle refusa de prendre sa feuille : légalement, il ne pouvait pas la remettre avant que l'heure fût écoulée. Il croisa donc les mains derrière la nuque et passa tout ce temps à examiner, sans un mot, son corps presque nu. Elle commençait manifestement à regretter de ne pas avoir un manteau à jeter sur ses épaules.

L'heure écoulée, elle lui donna un second dossier. Sur la première feuille, il y avait un dessin représentant un carburateur, accompagné du texte suivant :

1. – Mettriez-vous ceci dans un (ou une) :
   a) tondeuse à gazon
   b) Libertel
   c) hamac électrique
   d) automobile
   e) aucun de ces objets

Le troisième examen était une épreuve de maths. Les chiffres n'étaient pas le fort de Richards. Il sua sang et eau pour ne pas prendre de retard, et n'eut finalement pas le temps de terminer la dernière question. En prenant sa feuille, Rinda Ward eut un sourire un peu trop accentué.

– Vous avez été moins rapide, cette fois, Ben.

– Mais les réponses sont bonnes, vous en faites pas, dit-il en lui rendant son sourire. (Se penchant sur sa chaise, il lui donna une petite tape sur les fesses.) Allez prendre une douche, mignonne. Vous avez bien travaillé.

Elle rougit jusqu'aux oreilles.

– Je pourrais vous faire disqualifier !

– A d'autres ! Vous pourriez vous faire flanquer dehors, voilà tout.

– Sortez ! Allez vous remettre en rang !

Elle était au bord des larmes. Pour un peu, il aurait eu pitié d'elle – mais il ne céda pas à cette tentation. Au contraire, il insista :

— Passez une bonne soirée, mon chou. Allez dans un restaurant chic avec votre petit copain de la semaine. Entre les langoustines et le steak, vous pourrez penser à ma fille de dix-huit mois qui est en train de crever de la grippe dans un deux-pièces miteux.

Le visage blanc comme un linge, elle le regarda s'éloigner.

Son groupe de dix avait été réduit à six candidats. Ils passèrent dans la salle suivante. Il était une 1 h 30.

Compte à rebours... 091

Le docteur assis en face de lui dans l'étroite cabine portait de petites lunettes rondes aux verres très épais. Avec son sourire satisfait et déplaisant, il rappelait à Richards un doux crétin qu'il avait connu quand il était gosse. Son passe-temps favori était de s'accroupir sous les tables pour regarder sous les jupes des filles en se tapant une branlette. Richards se mit à sourire.

— Il y a quelque chose de drôle ? demanda le docteur, dont le vilain rictus s'élargit imperceptiblement.

— Oui. Vous me rappelez une personne que j'ai connue dans le temps.

— Ah bon ? Qui ?

— Peu importe.

— Comme vous voudrez. (Le docteur leva une feuille portant une grosse tache d'encre.) Que voyez-vous ici ?

Richards regarda la feuille. Un brassard gonflable avait été fixé à son bras, et plusieurs électrodes à son crâne. Le tout était relié par des fils à une console. Des lignes zigzaguaient sur un écran.

— Deux femmes noires. Elles s'embrassent.

Le docteur leva une autre feuille.

— Et ici ?

– Une voiture de sport. On dirait une Jag.
– Vous aimez les voitures à essence ?
Richards haussa les épaules.
– Quand j'étais petit, j'avais une collection de modèles réduits.
Le docteur prit quelques notes, puis leva une troisième feuille.
– Une personne malade. Elle est couchée sur le côté. Les ombres sur son visage ressemblent à des barreaux de prison.
– Et sur cette dernière ?
Richards éclata de rire.
– Un gros tas de merde !
Il imaginait le docteur, avec sa blouse blanche, se branlant à plat ventre sous une table. Le sourire bête et méchant du docteur rendait la vision plus réaliste. Richards eut un dernier hoquet de rire et se calma.
– Je suppose que vous ne tenez pas à me dire... ?
– Non, répondit Richards. Je n'y tiens pas.
– Soit. Poursuivons. Associations de mots.
Il ne se donna pas la peine de lui expliquer en quoi cela consistait. Apparemment, l'information circulait. Tant mieux. Cela évitait d'inutiles pertes de temps.
– Prêt ?
– Prêt.
Le docteur mit un chronomètre en marche et consulta une liste, un stylo-bille à la main.
– Médecin.
– Nègre, dit Richards.
– Pénis.
– Queue.
– Rouge.
– Noir.
– Argent.
– Poignard.
– Fusil.
– Meurtre.

– Gagner.
– Argent.
– Sexe.
– Tests.
– Barrer.
– Fin.

La liste continua. Après une bonne cinquantaine de mots, le docteur arrêta le chronomètre et posa le stylo.

– Bien... (Il croisa les bras et regarda Richards avec gravité.) Une dernière question, Ben. Je ne prétends pas être capable de déceler un mensonge rien qu'en l'entendant, mais la machine à laquelle vous êtes relié me donnera une indication assez précise. Aviez-vous une motivation suicidaire en décidant de tenter votre chance aux Jeux ?

– Non.

– Pour quelle raison le faites-vous, dans ce cas ?

– Ma petite fille est malade. Il lui faut un docteur. Des médicaments. Sans doute une hospitalisation.

Le docteur prit des notes.

– C'est tout ?

Richards était sur le point de répondre « oui » (cela ne les regardait pas, après tout), lorsqu'il se ravisa. Autant tout dire, ne serait-ce que pour le dire vraiment une fois, pour exprimer avec des mots ses sentiments confus, pour leur donner une forme concrète.

– Je suis au chômage depuis longtemps. Je veux travailler de nouveau, même si c'est pour devenir la victime d'un jeu truqué. Je veux subvenir aux besoins de ma famille. J'ai ma fierté. Avez-vous de l'orgueil, docteur ?

– L'orgueil précède la chute, dit le médecin en rangeant son stylo. Si vous n'avez rien à ajouter, monsieur Richards...

Il se leva. Que Richards eût ou non quelque chose à ajouter, l'entrevue était manifestement terminée.

– Non.

– La porte se trouve au fond du couloir à droite. Bonne chance.

– C'est ça, dit Richards.

Compte à rebours... 090

Dans le groupe de Richards, ils n'étaient plus que quatre. Les autres groupes avaient eux aussi été réduits dans la même proportion. La nouvelle salle d'attente était nettement plus petite. Les derniers « Y » et « Z » arrivèrent vers 4 h 30. Peu auparavant, un assistant avait circulé avec un plateau de sandwiches insipides. Richards en mâchonna deux en écoutant un gars nommé Rettenmund raconter des histoires graveleuses, dont il possédait apparemment un réservoir inépuisable.

Lorsqu'ils furent tous réunis, un ascenseur les amena au quatrième étage. Il y avait une grande salle commune, des toilettes collectives et l'inévitable dortoir avec ses rangées de couchettes. Ils furent informés qu'un repas chaud serait servi à 7 heures dans la cafétéria adjacente.

Au bout d'un moment, Richards se leva et s'approcha du flic posté près du couloir.

– Il y a un téléphone quelque part ?

Richards ne pensait pas qu'il serait autorisé à téléphoner à l'extérieur, mais le policier se contenta de lui montrer la porte d'un geste dédaigneux du pouce. Il l'entrouvrit : il y avait effectivement un téléphone. Payant.

Il regarda de nouveau le flic.

– Dites... Il faut absolument que je donne un coup de fil. Vous ne pourriez pas me prêter cinquante cents ? Je...

— Allez vous faire voir.
Richards serra les mâchoires.

— Il faut que j'appelle ma femme. Notre bébé est malade. Mettez-vous à ma place, sacré nom !

Le flic eut un rire grinçant.

— Vous êtes tous pareils. Pour raconter des histoires, on peut compter sur vous ! Vous devez en avoir une pour chaque jour de l'année.

— Salaud ! dit Richards entre ses dents. (Quelque chose dans son regard, dans son attitude, obligea le flic à détourner les yeux.) Vous n'êtes pas marié ? Il ne vous est jamais arrivé d'être coincé et d'être obligé d'emprunter de l'argent, même si ça vous laisse un mauvais goût dans la bouche ?

Le flic porta brusquement la main à sa poche et en sortit une poignée de pièces en plastique. Il lança deux pièces de vingt-cinq nouveaux cents à Richards, rempocha le reste et l'agrippa par sa combinaison.

— Si jamais tu dis aux autres que Charlie Grady est une bonne poire et qu'ils peuvent venir le voir, je te réduis le crâne en bouillie, compris ?

— Merci, dit Richards sans se troubler. Pour le prêt.

Charlie Grady éclata de rire et le lâcha. Richards alla dans le couloir, décrocha et mit les pièces dans la fente. Il les entendit tomber avec un bruit sec, mais ce fut tout. *Bon Dieu, tout ça pour rien !* Enfin, la tonalité arriva. Il composa soigneusement le numéro du poste du cinquième étage, et attendit. Pourvu que ce ne soit pas la mère Jenner qui prenne la communication... en entendant sa voix, elle serait capable de raccrocher aussi sec. Et il aurait perdu son argent.

A la sixième sonnerie, une voix inconnue dit :

— Allô ?

— Je voudrais parler à Sheila Richards, au 5 C.

— Je crois qu'elle est sortie. (La voix se fit insinuante.) Elle traîne beaucoup dans le quartier, vous savez. La gosse est malade. Et son mari ne fait rien.

— Allez frapper quand même, insista-t-il sans réagir à l'insulte.

— Quittez pas.

Il entendit le combiné heurter le mur, puis la voix inconnue crier au loin :

— M'dame Richards, téléphone ! Téléphone pour vous !

La voix revint en ligne.

— Elle est pas là. J'entends la gosse pleurer, mais elle est pas là. (Un rire étouffé.) Comme je vous l'ai dit, elle traîne dans le coin...

Richards aurait voulu pouvoir se transporter par les fils du téléphone et surgir à l'autre bout, empoigner le propriétaire de cette voix par le cou et serrer jusqu'à ce que les yeux lui sortent de la tête.

— Prenez un message, alors. Ecrivez sur le mur, s'il faut.

— J'ai pas de crayon. Au revoir, je raccroche.

— Attendez ! cria Richards, pris de panique.

— Je... un instant. Je crois qu'elle monte les escaliers...

Richards s'adossa au mur, couvert de sueur. Un moment plus tard, il entendit la voix de Sheila. Méfiante. Presque apeurée.

— Allô ?

— Sheila...

Il ferma les yeux, se retenant à l'appareil pour ne pas tomber.

— Ben ! Ben, c'est toi... Ça va ?

— Ça va. Ça va bien. Et Cathy ? Est-ce que...

— Toujours pareil. Un peu moins de fièvre. Mais sa respiration est tellement sifflante... Je me demande si elle n'a pas de l'eau dans les poumons, Ben. J'ai peur que ça ne finisse par une pneumonie.

— Ça va s'arranger, Sheila. Ça va s'arranger.

— Je... (Elle se tut un long moment.) Je n'aime pas la laisser seule, mais il le fallait. J'ai fait deux passes ce matin. Je te demande pardon, Ben. J'ai pu acheter des médicaments au drugstore. Des bons médicaments. Très bons.

Elle le répétait pieusement, comme pour s'en convaincre elle-même.

– Ce qu'ils vendent au drugstore, c'est de la merde, dit-il. Ne fais plus jamais ça, Sheila, tu m'entends ? Je t'en supplie. Je crois que ça va marcher, ici. Vraiment. Au point où on en est, ils ne peuvent plus en éliminer beaucoup, parce qu'il y a trop de jeux. Il leur faut assez de chair à canon pour faire tourner la machine. Et je crois qu'ils donnent des avances. Mme Upshaw...

– Elle était affreuse, en noir, intervint Sheila d'une voix terne.

– Peu importe, Sheila. En tout cas, plus de passes. Tu restes avec Cathy.

– D'accord. Je ne sortirai plus. (Son ton n'était pas très convaincant.) Je t'aime, Ben.

– Moi aussi, je...

– Les trois minutes sont écoulées, intervint l'opératrice, si vous désirez continuer, remettez vingt-cinq nouveaux cents ou soixante-quinze anciens cents...

– Ne coupez pas ! hurla Richards. Un instant...

Clic, et ce fut le silence. Il lança le combiné contre le mur : il se balança longuement au bout de son fil, comme un serpent d'une espèce inconnue, mort après avoir mordu une fois.

« *Quelqu'un me paiera ça*, se dit Richards, encore sous le choc. Quelqu'un *doit* payer. »

Ils restèrent au cinquième étage jusqu'au lendemain matin 10 heures. Richards était hors de lui de rage et de frustration. Enfin, un type un peu efféminé, portant une combinaison collante, leur demanda avec une politesse exagérée de gagner l'ascenseur. En tout, ils devaient être trois cents. Au cours de la nuit, soixante candidats avaient été éliminés en douceur. Dont le gars qui connaissait plein d'histoires obscènes.

Par groupe de cinquante, on les conduisit à un petit auditorium du cinquième étage. La salle était luxueuse, avec du velours rouge partout. Dans chaque accoudoir en vrai bois, il y avait un cendrier. Richards alluma une Blams. Il mit ses cendres par terre.

Au centre de la petite scène, se trouvait une table avec une carafe d'eau. Vers 10 h 15, le type efféminé apparut et annonça :

– Arthur M. Burns, directeur adjoint des Jeux !

– Bravo ! fit une voix caustique derrière Richards.

Un gros homme avec une large tonsure cernée de cheveux gris arriva et inclina le buste, comme pour montrer qu'il appréciait des applaudissements que lui seul pouvait entendre. Lorsqu'il releva la tête, il arborait un sourire onctueux qui le faisait ressembler à un vieux cupidon en complet de businessman.

– Félicitations ! dit-il. Vous avez réussi !

Il y eut un immense soupir collectif, suivi de quelques rires. D'autres hommes allumèrent des cigarettes.

– Bravo ! répéta la voix acerbe.

– Dans un moment, vous allez recevoir les numéros de vos chambres du sixième étage et connaître votre affectation. Les producteurs délégués de vos Jeux respectifs vous expliqueront en détail ce que nous attendons de vous. Auparavant, je tiens à vous renouveler mes félicitations. Vous êtes des hommes courageux et pleins d'initiative, qui se refusent à vivre de la charité publique quand il existe des moyens de vivre comme des hommes. Dans mon esprit, vous êtes les véritables héros de notre temps.

– Couillonnades, fit remarquer la voix mordante.

– Au nom de tout le Réseau, je vous souhaite bonne chance.

Arthur M. Burns se frotta les mains avec un rire porcin.

– Je ne vais pas vous retenir plus longtemps avec mon bavardage. Vous devez être pressés de connaître vos affectations.

Une porte latérale s'ouvrit, livrant passage à une demi-douzaine d'assistants en tunique rouge, portant de petits casiers pleins d'enveloppes blanches. A l'appel de son nom, chacun en recevait une. Bientôt, le sol en fut jonché, tandis que les hommes examinaient avidement les cartes en plastique indiquant leur numéro de chambre et le Jeu pour lequel ils avaient été sélectionnés. Sous le regard souriant de Arthur M. Burns, les hommes lisaient les cartes, les montraient à de nouvelles connaissances, poussaient des cris d'enthousiasme ou des gémissements.

– Cette saloperie de *Vous l'Aimez Très Chaud ?* Moi qui ai horreur de la chaleur...

– Un truc de dernière catégorie... ça passe juste après les émissions pour mômes.

– *Moulin de la fortune !* Ça alors ! Je savais pas que mon cœur était si malade...

– J'espérais avoir celui-là, mais je n'osais pas y croire vraiment...

– Dis donc, Jake, tu connais ça, *Nagez avec les crocos ?* Ça me dit pas...

– ... du tout ce que je croyais...

– Tu crois vraiment qu'on a...

— Saloperie de merde !
— Ces *Sacrés Fusils* !...
— Benjamin Richards ! Ben Richards !
— Ici !

Il ouvrit l'enveloppe avec des doigts qui tremblaient légèrement. Il dut s'y reprendre à deux fois pour en sortir la carte, qu'il regarda un long moment sans comprendre. Elle ne portait ni nom de programme, ni numéro de chambre, mais la simple mention ASCENSEUR SIX.

Il emporta la carte et sortit de l'auditorium. Les cinq premiers ascenseurs allaient et venaient sans relâche pour monter au sixième les concurrents des jeux de la semaine suivante. Quatre autres attendaient devant les portes fermées du sixième ascenseur.

Richards reconnut l'homme à la voix caustique. Dans les vingt-cinq ans, plutôt sympathique. Il avait un bras paralysé. Sans doute l'épidémie de polio qui avait fait des ravages en 2005. Surtout à Co-Op City.

— Qu'est-ce qui se passe ? demanda Richards. Ils vont nous flanquer dehors ?

— Ça serait trop beau, répondit l'homme avec un rire sans joie. Je crois qu'on aura droit au bouquet, mon pote. Pas les Jeux où on finit à l'hôpital avec une attaque, un œil crevé ou un bras en moins... Non. Ceux où ils vous zigouillent carrément.

Un sixième gars arriva, un jeune, qui ne cessait de tout regarder avec ébahissement, en clignant des yeux.

— Salut, petit, dit l'homme à la voix caustique.

A 11 heures, lorsqu'il n'y eut plus qu'eux dans le hall, les portes de l'ascenseur 6 s'ouvrirent. Il y avait de nouveau un flic armé au fond.

— Tu vois ? lui dit l'homme. On est des individus dangereux. Des ennemis publics. Ils vont nous li-quider.

Il prit une expression de méchant gangster et arrosa

le fond de l'ascenseur avec une mitraillette imaginaire. Le flic le gratifia d'un regard bovin.

Compte à rebours... 088

La salle d'attente du septième étage était très intime, très douillette, très luxueuse.

Ils n'étaient plus que trois : Richards, l'homme à la voix acerbe et le gosse à l'air surpris. A l'arrivée de l'ascenseur, les trois autres avaient été pris en charge par des flics, qui les avaient escortés vers un couloir garni d'une épaisse moquette.

Une réceptionniste qui fit vaguement penser Richards à une sex-star du temps jadis (Liz Kelly ? Grace Taylor ?) les accueillit avec une politesse exquise. Elle était assise dans une alcôve pleine de plantes vertes : un petit coin de jungle équatoriale.

– Monsieur Jansky ? dit-elle avec un sourire presque convaincant. Vous pouvez entrer.

Le gosse à l'air surpris entra dans le Saint des Saints. Richards et l'homme à la voix acerbe, qui s'appelait Jimmy Laughlin, bavardèrent, sur leurs gardes. Richards apprit que Laughlin habitait Dock Street, à cinq minutes de chez lui. Jusqu'à l'année précédente, il travaillait à mi-temps comme nettoyeur de machines chez General Atomics. Il avait été licencié à la suite d'une grève sur le tas pour protester contre le mauvais état des boucliers antiradiations.

– En tout cas, je suis vivant, dit-il. Selon ces crétins, c'est tout ce qui compte. Bien sûr, je suis stérile. Mais *ça*, ça ne compte pas ! C'est un des petits risques qu'il faut courir pour gagner la somme mirobolante de sept nouveaux dollars par jour.

Lorsque G-A l'avait fichu à la porte, il n'avait pas

retrouvé de travail : avec son bras paralysé, c'était difficile. Depuis deux ans, sa femme était gravement asthmatique. Elle ne pouvait plus quitter le lit.

– Alors, conclut Laughlin avec un sourire amer, j'ai décidé de viser le sommet. J'espère bien balancer quelques salopards par la fenêtre avant de me faire descendre par les gars de McCone.

– McCone ? Tu crois vraiment que c'est...

– *La Grande Traque ?* Y a pas de doute, mon pote. Passe-moi une clope.

Richards lui donna le paquet.

La porte s'ouvrit et le gosse apparut, au bras d'une superbe créature court vêtue. Au passage, il leur adressa un sourire crispé.

– Monsieur Laughlin ? Si vous voulez bien entrer ?

Richards se retrouva donc seul, à moins de compter la secrétaire, qui avait de nouveau disparu dans sa petite forêt vierge.

Il alla vers le distributeur de cigarettes fixé au mur. Laughlin devait avoir raison : la machine distribuait même des Dokes. Le haut de gamme, pas de doute ! Il prit un paquet de Blams.

Une vingtaine de minutes plus tard, Laughlin ressortit, accompagné d'une blonde assez époustouflante.

– Une copine de mon club, dit-il à Richards, tandis que la blonde battait des sourcils d'un air langoureux. (L'expression de Laughlin était sombre.) Au moins, ce fils de pute n'y va pas par quatre chemins. A bientôt, peut-être.

Laughlin sortit. La réceptionniste passa la tête par le feuillage.

– Monsieur Richards ? C'est à vous, s'il vous plaît.

Il entra.

Compte à rebours... 087

Le bureau était assez grand pour jouer au bowling. Il était dominé par une immense baie vitrée donnant sur les immeubles bourgeois, les entrepôts et les réservoirs des docks ; au loin, l'on voyait même le lac. Un gigantesque tanker traversait lentement l'horizon.

L'homme assis derrière le bureau était de taille moyenne. C'était un Noir. Il était tellement noir, en fait, que l'on aurait cru un Blanc qui s'était passé le visage au cirage. Comme dans les vieux spectacles de music-hall.

– Bonjour, monsieur Richards.

Il se leva et lui tendit la main par-dessus le bureau. Lorsque Richards ne la prit pas, il n'en parut aucunement offensé. Il retira calmement sa main et se rassit.

Richards s'installa dans le confortable fauteuil placé face au bureau et écrasa sa cigarette dans un cendrier en bronze frappé de l'emblème des Jeux.

– Je suis Dan Killian. Comme vos tests le prouvent, vous êtes un garçon très intelligent, monsieur Richards. Vous aurez sans doute deviné ce qui vous amène ici.

Richards croisa les bras et attendit.

– Vous avez été sélectionné pour participer à *La Grande Traque*, monsieur Richards. C'est notre show numéro un : le plus lucratif – et le plus dangereux – pour les concurrents. Votre contrat définitif est sur mon bureau. Je ne doute pas que vous le signerez. Auparavant, j'aimerais toutefois vous expliquer pourquoi vous avez été sélectionné, et m'assurer que vous savez réellement à quoi vous vous engagez.

Richards garda le silence.

Killian fit glisser un dossier sur la surface immaculée de son bureau. Richards vit que son nom était marqué sur la couverture. Killian ouvrit prestement le dossier.

– Benjamin Stuart Richards. Vingt-huit ans. Né le 8 août 1997 à Harding. Etudes au collège des Métiers manuels de South City de septembre 2011 à décembre 2013. Suspendu à deux reprises pour manque de respect. Vous avez, je crois, frappé le sous-directeur à la cuisse alors qu'il avait le dos tourné ?

– Foutaises ! Je lui ai donné un coup de pied au cul.

Killian hocha la tête.

– Comme vous préférez, monsieur Richards. A l'âge de seize ans, vous avez épousé Sheila, née Gordon. Un contrat à vie, à l'ancienne mode. Toujours anticonformiste, hein ? Pas d'affiliation syndicale suite à votre refus de signer le serment de fidélité et les accords de contrôle salariaux. Vous auriez traité le secrétaire Johnsbury de « sale péquenot ».

– C'est exact.

– Au travail, vous étiez assez mal noté. Vous avez été congédié... voyons... à six reprises, pour diverses raisons – insubordination, insultes à supérieurs, critique excessive de l'autorité.

Richards haussa les épaules.

– En résumé, vous êtes considéré comme un homme asocial, ennemi de toute autorité. Un déviant suffisamment intelligent pour avoir évité la prison *et* le piège de la drogue. Selon un de nos psychologues, vous avez vu des lesbiennes, des excréments et des véhicules polluants dans des taches d'encre. Il a également signalé que vous avez été pris d'une hilarité inexplicable...

– Il me rappelait un môme que je connaissais à l'école. Il aimait se branler en regardant sous les jupes des filles. Le môme, bien sûr. J'ignore quels sont les plaisirs favoris de ce docteur.

– Je vois. (Killian sourit brièvement, révélant des

dents d'une blancheur éblouissante, et se replongea dans le dossier.) Vous avez eu des réactions racistes, tombant sous le coup de la loi raciale de 2004. Au cours du test suivant, vous avez fait plusieurs associations violentes.

– Je suis ici pour un travail violent, si je ne me trompe.

– Effectivement. Pourtant, nous – et je parle dans un sens plus général que la Direction des Jeux, dans un sens national – ... nous sommes au plus haut point troublés par ces réactions.

– Vous avez peur que quelqu'un ne plastique votre voiture ce soir, monsieur Killian ? demanda Richards en souriant.

Killian mouilla songeusement son index et tourna la page.

– Heureusement – pour nous, du moins – vous avez en quelque sorte donné un gage à la société. Vous avez une fille, Catherine, âgée de dix-huit mois. S'agissait-il d'une erreur ?

Il eut un sourire glacial.

– Non, c'était volontaire, dit Richards sans rancœur. A l'époque, je travaillais à la G-A. Une partie de mon sperme a dû en réchapper, une farce du destin, peut-être. Le monde étant ce qu'il est, je me demande parfois si nous n'avions pas perdu la boule.

– En tout cas, vous voilà, dit Killian, qui arborait toujours son sourire glacial. Et mardi prochain, vous allez tenir le rôle principal dans *La Grande Traque*. Vous connaissez cette série ?

– Oui.

– Vous savez donc qu'il s'agit de l'émission la plus prestigieuse du Libertel. Elle offre aux spectateurs de nombreuses occasions de participer, directement ou indirectement. Je suis le producteur de cette série.

– Formidable, fit observer Richards.

– Cette émission est l'un des meilleurs moyens

dont le Réseau dispose pour se débarrasser de personnes potentiellement dangereuses. Telles que vous-même, monsieur Richards. Elle existe depuis six ans. A ce jour, il n'y a pas eu de survivant. Pour parler franchement, nous sommes certains qu'il n'y en aura jamais.

– Autrement dit, les dés sont pipés, dit Richards.

Killian parut plus amusé qu'horrifié.

– Mais non ! Vous oubliez que vous êtes un anachronisme, monsieur Richards. Les gens ne se contenteront pas de rester assis devant leur écran en encourageant vos adversaires par des cris ou des applaudissements. Certainement pas ! Ils veulent que vous soyez éliminé, et ils feront tout pour cela. Plus ce sera macabre, plus ils seront ravis. De surcroît, vous devrez faire face à Evan McCone et à ses Chasseurs.

– On dirait un groupe de néo.

– McCone ne perd jamais, dit simplement Killian.

Richards fit entendre un grognement.

– Vous apparaîtrez en direct mardi soir. Les émissions suivantes seront un montage de bandes, de films et de flashes, en direct si possible. Il nous est arrivé d'interrompre d'autres programmes lorsqu'un concurrent particulièrement talentueux était sur le point de... d'atteindre son Waterloo personnel, si je puis dire. Les règles sont la simplicité même. Vous – ou les membres survivants de votre famille – toucherez cent nouveaux dollars par heure tant que vous resterez libre. Nous allons vous verser une avance de quatre mille huit cents dollars, en partant de l'hypothèse que vous pourrez échapper aux Chasseurs pendant quarante-huit heures. Si vous tombez plus tôt, le solde devra bien entendu être remboursé. Vous prendrez le départ avec douze heures d'avance. Si vous durez trente jours, vous touchez le Grand Prix. Un milliard de nouveaux dollars.

Richards rejeta la tête en arrière et éclata d'un rire tonitruant.

– Je partage entièrement vos sentiments, dit Killian en grimaçant un sourire. Avez-vous des questions ?

– Une seule, dit Richards en se penchant vers lui. Cela vous plairait d'être à ma place, dans l'émission ?

Killian fut pris d'un irrésistible fou rire. Se tenant le ventre des deux mains, il réussit à dire :

– Excusez-moi, monsieur Richards... Je... c'est plus fort que... avant d'être submergé par une nouvelle crise de rire.

Il réussit finalement à se contrôler et s'essuya les yeux avec un grand mouchoir blanc.

– Vous avez un extraordinaire sens de l'humour, monsieur Richards, et en plus... (Le rire le submergea de nouveau, mais il se reprit aussitôt.) Il faut vraiment que vous m'excusiez. C'était plus fort que moi.

– C'est ce que je vois.

– Pas d'autres questions ?

– Non.

– Parfait. Avant l'émission, il y aura une réunion de toute l'équipe. Si d'autres questions prenaient forme dans votre esprit hors du commun, vous pourrez les poser à ce moment-là.

Killian appuya sur un bouton.

– Epargnez-moi la pute de service, dit Richards. Je suis un homme marié.

– Vous êtes certain ? dit Killian en haussant les sourcils. La fidélité est une vertu admirable, monsieur Richards, mais nous sommes vendredi ; le week-end sera long, d'ici mardi. Compte tenu du fait que vous ne reverrez peut-être jamais votre femme...

– Je suis marié.

– Comme il vous plaira.

Killian fit un signe de tête à la grande blonde qui était apparue à la porte ; la fille se retira.

– Pouvons-nous faire quoi que ce soit d'autre pour

vous ? Un appartement vous est réservé au huitième étage ; vous pourrez commander des repas à la carte – dans la mesure du possible, nous ferons tout pour vous satisfaire.

– Une bouteille de bon bourbon. Et un téléphone pour appeler ma femme.

– Je suis désolé, cher monsieur Richards. Pour le bourbon, pas de problème. Mais une fois que vous aurez signé cette décharge, vous ne pourrez plus communiquer avec l'extérieur jusqu'à mardi. (Il fit glisser vers Richards le formulaire et un stylo.) Si vous avez des regrets en ce qui concerne la fille...

– Non. (Richards griffonna son nom en bas de la feuille.) Tout bien réfléchi, mettez deux bouteilles de bourbon.

– C'est noté.

Killian se leva et lui tendit de nouveau la main.

De nouveau, Richards ne la serra pas. Il se leva et sortit.

Killian le regarda s'éloigner avec une expression énigmatique. Il ne souriait plus.

Compte à rebours... 086

Au passage de Richards, la réceptionniste surgit de son bout de paradis tropical et lui remit une enveloppe. Sur celle-ci, il put lire :

Monsieur Richards,

Je suppose qu'au cours de notre entrevue, vous omettrez de mentionner un sujet qui vous tient pourtant à cœur. Vous avez besoin d'argent immédiatement. Exact ?

En dépit de certaines rumeurs, l'administration des Jeux ne verse *pas* d'avances. N'oubliez pas que vous êtes, non un concurrent prestigieux ou une star du Libertel, mais simplement un gars payé très cher pour faire un travail très dangereux.

Il n'existe toutefois aucune règle m'interdisant de vous accorder un prêt à titre personnel. Vous trouverez dans cette enveloppe dix pour cent de votre rémunération de départ. Non pas, d'ailleurs, en nouveaux dollars, mais en certificats de la Haute Autorité des Jeux, négociables sur le réseau bancaire. Si vous décidez, comme je le pense, d'envoyer lesdits certificats à votre épouse, elle s'apercevra qu'ils ont un net avantage sur les nouveaux dollars : un médecin réputé les acceptera en paiement, tandis qu'un charlatan les refusera.

Sincèrement,

Dan Killian.

Richards ouvrit l'enveloppe et en sortit un épais carnet de coupons frappés de l'emblème des Jeux. Il y en avait quarante-huit, d'une valeur nominale de dix nouveaux dollars. Richards se sentit submergé par une reconnaissance absurde. Cela ne dura pas : Killian savait certainement ce qu'il faisait. Il se ferait sans nul doute rembourser les quatre cent quatre-vingts dollars ; et puis, c'était une façon bon marché de s'assurer que son « client » était content et de protéger son propre poste, qui était à coup sûr grassement payé.

– Merde ! s'exclama-t-il.

La tête de la réceptionniste apparut aussitôt.

– Vous disiez, monsieur Richards ?

– Rien. Où est l'ascenseur ?

Compte à rebours... 085

La suite était somptueuse.

Une moquette si épaisse et moelleuse, que l'on avait envie de s'y rouler, tapissait le sol des trois pièces : séjour, chambre et salle de bains. Il y avait un Libertel, mais il était fermé. Un silence bienfaisant régnait. Des fleurs étaient disposées dans des vases. Près de la porte, un bouton discret était marqué SERVICE. « Le service était certainement rapide », songea Richards avec cynisme : deux flics étaient postés dans le couloir, sans doute pour l'empêcher de vagabonder.

Il appuya sur le bouton. La porte s'ouvrit aussitôt.

– Oui, monsieur Richards ? demanda un des flics. Le bourbon que vous avez commandé arrive de suite.

Ça devait lui faire mal d'être aussi poli.

– Ce n'est pas pour ça que j'ai sonné, dit Richards en sortant le carnet de coupons. Je voudrais envoyer cela à quelqu'un.

– Ecrivez le nom et l'adresse, monsieur Richards. Je le ferai porter sans tarder.

Richards sortit de son portefeuille la facture du cordonnier. Après y avoir marqué son adresse et le nom de Sheila, il la donna au flic avec le carnet de coupons. Il allait refermer la porte lorsqu'une autre idée lui vint.

– Un moment !

Il reprit le carnet que le policier tenait à la main et déchira soigneusement, en suivant les pointillés, une section du premier coupon : valeur nominale, 1 nouveau dollar.

– Vous connaissez un de vos collègues nommé Charlie Grady ?

– Charlie ? Bien sûr, dit le flic avec méfiance. Qu'est-ce que vous lui voulez, monsieur Richards ?

– Donnez-lui ça. Dites-lui que les cinquante *cents* de trop sont pour les intérêts.

Le flic allait partir lorsque Richards le rappela une seconde fois.

– N'oubliez pas de m'apporter les reçus.

Le flic prit une expression dégoûtée.

– Je vois que vous avez confiance en l'humanité.

Richards eut un pâle sourire.

– C'est vous et vos copains qui m'avez appris à être comme ça. Au sud du Canal, vous m'avez tout appris à ce sujet.

– Je sens que l'émission va être super, dit le flic. Ça me fera plaisir de les voir vous coincer, quand je regarderai le Libertel sur mon sofa, une canette de bière dans chaque main.

– En tout cas, n'oubliez pas les reçus, dit Richards en fermant doucement la porte.

Le bourbon arriva vingt minutes plus tard. Richards dit au serveur de lui amener deux ou trois gros romans.

– Des romans ? fit l'homme, interloqué.

– Oui, vous savez, des livres. Imprimés sur papier.

Il mima le geste de tourner des pages.

– Bien, monsieur, je vais faire mon possible. Monsieur désire commander le dîner ?

Ça dépassait la dose ! Richards imagina un dessin animé : un homme tombe dans un puisard et se noie dans un énorme tas de merde rose sentant le N° 5 de Chanel. Quand il en a plein la bouche, il s'aperçoit que, rose ou pas, elle a bel et bien un goût de merde.

– Steak dans le filet. Petits pois, pommes mousseline. (« Mon Dieu, et Sheila qui devait se contenter d'une pilule de protéines et d'une tasse de café synthétique ! ») Du lait. Tarte aux pommes chaude.

– Bien, monsieur. Aimeriez-vous également...

– Non, dit Richards brusquement. Ce sera tout. Laissez-moi.

Il n'avait plus faim. Plus du tout.

Compte à rebours... 084

« Le serveur a dû prendre mes recommandations à la lettre », pensa Richards en ricanant intérieurement. Il avait manifestement choisi les livres avec un double décimètre pour seul guide : tout ce qui a plus de cinq centimètres d'épaisseur est O.K. Il lui avait amené trois livres dont il n'avait jamais entendu parler : deux vieux, *Dieu est anglais* et *En pays de connaissance*, ainsi qu'un gros volume publié trois ans auparavant, *Le Plaisir de servir*. Richards jeta d'abord un coup d'œil sur ce dernier. Un pauvre gars travaille à G-A. Il commence comme nettoyeur de machines, puis devient aide-mécano. Il prend des cours du soir (« des cours de quoi ? se demanda Richards, de finances supérieures ? »). Au cours d'une orgie de quartier, il tombe amoureux d'une fille (apparemment, la syphilis ne lui avait pas encore rongé le nez). Ses notes sont si bonnes qu'il est promu assistant technicien. Il se marie, avec un contrat de trois ans, et...

Richards jeta le livre dans un coin. *Dieu est anglais* avait l'air un peu mieux. Il se versa un bourbon *on the rocks* et attaqua le bouquin.

Il en était à la page trois cents (et à la fin de la première bouteille) lorsque l'on frappa discrètement. C'était le flic qui lui apportait les reçus.

Sheila n'avait rien écrit, mais avait envoyé une photo de Cathy bébé. Il sentit des larmes d'ivrogne lui monter aux yeux. Il examina l'autre reçu. Charlie avait écrit au dos d'une contravention : *O.K., enculé. Vivement que tu crèves. C. Grady.*

Richards laissa tomber le bout de papier avec un ricanement féroce.

– Merci, Charlie. J'avais vraiment besoin de tes encouragements.

Il regarda de nouveau la photo de Cathy, minuscule et rouge et ridée, prise quatre jours après sa naissance. Elle portait une sorte de robe blanche, que Sheila avait cousue elle-même. Lorsque l'envie de pleurer devint trop forte, il se força à repenser au charmant petit mot de Charlie Grady. Il se demanda s'il pourrait vider la deuxième bouteille avant de perdre connaissance, et décida d'essayer.

Il y parvint presque.

Compte à rebours... 083

Samedi matin, Richards se réveilla avec une monumentale gueule de bois. A l'heure du dîner, il en était presque sorti : il commanda deux autres bouteilles de bourbon avec le repas. Il les vida méthodiquement et se réveilla à la pâle lumière du dimanche matin en voyant ramper sur le mur d'énormes chenilles au regard meurtrier. Il décida qu'il serait contraire à ses intérêts de ruiner complètement ses réflexes d'ici mardi. Il était temps d'arrêter.

Sa gueule de bois se dissipa peu à peu. Il vomit tout ce qu'il avait à vomir, et continua à avoir des spasmes lorsque son estomac fut vide. Vers 6 heures du soir, les spasmes se calmèrent. Pour le dîner, il commanda une soupe de légumes. Pas de bourbon. Il sélectionna du néo-rock au système audio dont la suite était équipée, mais en eut rapidement assez.

Il se coucha tôt et dormit plutôt mal.

Lundi, il passa presque toute la journée sur la petite terrasse vitrée. Elle dominait tout le front de mer. Le temps était agréable : une succession de giboulées et d'éclaircies. Le vent devait être fort.

Il lut deux romans, se coucha de nouveau tôt et dormit un peu mieux. Il fit toutefois un cauchemar à la fois horrible et grotesque. Sheila était morte et il assistait à son enterrement. Elle était debout dans son cercueil ; quelqu'un lui avait fourré une liasse de nouveaux dollars dans la bouche. Il se précipita pour retirer cette obscénité, mais des mains le saisirent par-derrière. Une douzaine de flics l'immobilisèrent. L'un d'eux était Charlie Grady. Il lui disait avec un vilain sourire : « Voilà ce qui arrive aux perdants, espèce d'enculé ! » Les flics pointaient leurs pistolets sur sa tête lorsqu'il se réveilla.

– Mardi, annonça-t-il en se laissant rouler sur la moquette.

L'élégante pendule murale imitant un cadran solaire indiquait 7 h 09. Dans moins de onze heures, le début en direct de *La Grande Traque* allait être diffusé en 3-D dans toute l'Amérique. Il sentit son estomac se décrocher. Et dans vingt-trois heures, la chasse à l'homme serait ouverte.

Il se doucha longuement à l'eau très chaude, mit sa combinaison, commanda des œufs au bacon, du café et une cartouche de Blams.

Il passa le reste de la matinée et le début de l'après-midi à lire, confortablement installé sur le sofa. A 2 heures pile, on frappa un coup sec à la porte. Trois policiers entrèrent, en compagnie du ventripotent Arthur M. Burns, plus qu'un peu ridicule dans sa combinaison de scène. Les flics étaient armés d'aiguillons électriques.

– Je suis venu vous chercher pour le briefing final, dit Burns. Si vous voulez bien...

– Certainement, dit Richards.

Il marqua la page du livre qu'il lisait et le posa sur la table. Il était terrifié, à deux doigts de la panique. Heureusement, ses mains ne tremblaient pas...

Compte à rebours... 082

Le neuvième étage de l'Immeuble des Jeux ne ressemblait absolument pas aux autres. Richards savait qu'il ne monterait pas plus haut. La fiction de la mobilité verticale s'arrêtait ici. Le neuvième étage abritait les studios.

Les couloirs étaient très larges et très blancs. Des karts jaune vif équipés de moteurs G-A à cellules solaires passaient en tous sens, amenant des équipes de technicos vers les studios et les salles de régie.

Un kart les attendait à la sortie de l'ascenseur. Richards, Burns et les trois flics prirent place. Le petit véhicule démarra sans bruit. Des têtes se tournaient à leur passage. Plusieurs personnes montrèrent Richards du doigt. Une fille en bikini doré lui envoya un baiser.

Ils franchirent des dizaines de couloirs transversaux. Richards eut l'impression qu'ils parcouraient des kilomètres. Il vit plusieurs studios, et aperçut même l'infâme moulin de discipline du *Moulin de la fortune*. Des touristes en visite guidée s'amusaient à l'essayer. Ils se tordaient de rire.

Le kart s'arrêta finalement devant une large porte portant la mention LA GRANDE TRAQUE – ACCÈS STRICTEMENT RÉSERVÉ.

Burns salua le garde en gilet pare-balles assis dans une guérite et dit à Richards :

– Introduisez votre carte dans la fente, juste à côté de la porte.

Richards descendit et fit ce qu'on lui demandait. Sa carte disparut dans la fente et une petite lampe s'alluma dans la guérite du garde. Ce dernier appuya sur un bouton. La porte s'ouvrit. Richards remonta dans le kart et ils franchirent le seuil.

– Où est ma carte ? demanda Richards.

– Vous n'en avez plus besoin.

Ils se trouvaient dans une salle de régie. Assis devant une rangée de terminaux éteints, un unique technico entièrement chauve récitait une liste de chiffres dans un micro.

Un peu à l'écart, Dan Killian et deux autres hommes étaient attablés devant des verres couverts de buée. L'un d'eux, très soigné pour être un technico, lui était vaguement familier.

– Bonjour, monsieur Richards. Bonjour, Arthur. Désirez-vous un soda ou un jus de fruits, monsieur Richards ?

Richards se rendit compte qu'il avait soif. Il faisait chaud, en dépit de la climatisation.

– Je prendrais volontiers un Rooty-Toot.

Killian alla chercher la boisson dans un frigo en vrai bois. Il tendit la bouteille en plastique à Richards, qui le remercia de la tête et s'assit.

– Monsieur Richards, je vous présente Fred Victor, réalisateur de *La Grande Traque*. Et voici Bobby Thompson, que vous connaissez certainement.

Thompson, bien sûr ! L'animateur de l'émission. Il portait une pimpante combinaison verte, légèrement iridescente. Sa chevelure longue et souple était d'un gris argenté trop superbe pour être vrai.

– Vous les teignez ? demanda Richards.

Thompson haussa ses sourcils impeccablement épilés.

– Pardon ?

– Peu importe.
– Il faut excuser M. Richards, intervint Killian en souriant. Il est d'une franchise parfois un peu brutale.
– Tout à fait compréhensible, dit Thompson en allumant une cigarette. (Richards eut l'impression de perdre pied : était-ce la réalité, ou rêvait-il ?) Compte tenu des circonstances.
Victor se leva.
– Venez avec moi s'il vous plaît, monsieur Richards.
Il le précéda vers la console. Le technico avait fini de réciter ses chiffres et était parti. Thompson effleura quelques boutons. Des vues du décor de *La Grande Traque*, prises sous divers angles, apparurent sur les écrans.
– Nous ne faisons jamais de répétition, lui expliqua Victor. Nous estimons que c'est mauvais pour la spontanéité. Dès son entrée, Bobby improvise. Il est très fort. Le show commence à 6 heures précises, heure de Harding. Bobby arrive sur l'estrade bleue, au centre. Après avoir salué les spectateurs, il vous présentera, en donnant une biographie succincte, illustrée par quelques photos. Vous serez en coulisses, sur la droite, flanqué par deux gardes. Ils entreront en scène avec vous, armés de fusils anti-émeutes. Si vous essayez de faire le malin, des aiguillons seraient plus pratiques, mais les fusils font plus d'effet, vous comprenez.
– Bien sûr, approuva Richards.
– Le public sera très agité, mais c'est ce que nous cherchons. Il veut que ça saigne, comme dans les matches de foot-à-mort.
– On pourrait me tirer dessus à blanc ? Avec quelques sacs de sang qui crèveraient au bon moment, ça ferait un sacré effet, non ?
Victor ne réagit pas.
– Maintenant, écoutez-moi bien. A l'appel de votre nom, vous entrez en scène avec les gardes. Dès que le

public se sera un peu calmé, Bobby vous.. interviewera. N'hésitez pas à vous exprimer avec violence – inutile de mâcher vos mots. Tout ça, c'est du bon spectacle. Ensuite, vers 6 h 10, juste avant la première pub, on vous remettra votre avance et... *exit*, sans gardes. Par la gauche de la scène. Vous avez bien compris ?

– Oui. Et Laughlin, dans tout ça ?

Victor se renfrogna et alluma une cigarette.

– Il arrivera vers 6 h 15, après la pub. Nous préférons avoir deux concurrents parce qu'il arrive souvent qu'un d'eux soit... incapable d'échapper longtemps aux Chasseurs.

– Et vous gardez le gosse en réserve ?

– M. Jansky ? Oui. Mais cela ne vous concerne pas, monsieur Richards. Lorsque vous sortirez par la gauche, on vous remettra une caméra vidéo de la taille d'une boîte de cigares. Elle pèse trois kilos. Ainsi que soixante cassettes miniaturisées. Le tout tient aisément dans une poche. Un triomphe de la technologie moderne.

– Super.

Victor pinça les lèvres.

– Comme Dan vous l'a expliqué, vous n'êtes un concurrent qu'aux yeux des masses. En fait, vous êtes un travailleur, ne l'oubliez pas. Les cassettes peuvent être mises dans n'importe quelle boîte aux lettres ; elles nous seront transmises par exprès pour que nous puissions les diffuser le soir même. Si vous n'envoyez pas deux cassettes par jour, vous ne serez pas payé. C'est le règlement.

– Mais on continuera à me traquer.

– Exact. Donc, n'oubliez pas de poster ces cassettes. Cela ne trahira pas votre localisation. Les Chasseurs sont entièrement indépendants du Libertel.

Richards avait des doutes à ce sujet, mais il s'abstint de le dire.

– Dès que vous aurez l'équipement, vous serez escorté jusqu'à l'ascenseur direct, qui vous déposera à l'angle de la rue des Remparts. Ensuite, ce sera à vous de jouer. Seul. Pas de questions ?

– Non.

– Je crois que M. Killian a encore un ou deux détails à vous expliquer.

Ils regagnèrent la table, où Killian était en grande conversation avec Arthur M. Burns. Richards s'installa et demanda un autre Rooty-Toot. Killian le servit avec obligeance, puis le regarda de ses yeux étincelants.

– Comme vous le savez, monsieur Richards, vous quitterez le studio sans armes. Cela ne signifie pas que vous n'ayez pas le droit de vous en procurer, par n'importe quel moyen, légal ou non. Au contraire ! Vous – ou vos héritiers – toucherez un supplément de cent nouveaux dollars pour tout Chasseur ou représentant de la loi que vous réussiriez à éliminer. C'est...

– Je sais, dit Richards. C'est du bon spectacle.

Killian eut un sourire ravi.

– Absolument ! Toutefois, essayez de ne pas descendre des spectateurs innocents. Ce n'est pas au programme.

Richards s'abstint de tout commentaire.

– L'autre aspect de notre émission...

– Les mouchards et les opérateurs indépendants. Je sais.

– Ce ne sont pas des mouchards, monsieur Richards, mais d'honnêtes citoyens américains. (Il était difficile de juger s'il y avait ou non de l'ironie dans le ton de Killian.) Quoi qu'il en soit, il y a des primes à gagner pour les spectateurs. Cent dollars pour une indication précise de l'endroit où vous vous trouvez. Mille s'il en résulte une exécution. Les cameramen indépendants touchent jusqu'à dix dollars la seconde, selon la qualité de l'image...

– Prenez votre retraite à la Jamaïque grâce au prix

du sang ! s'écria Richards en écartant largement les bras. Votre photo dans cent hebdos 3-D ! Devenez l'idole des foules en filmant des détails juteux !

– Cela suffit, dit Killian avec calme.

Bobby Thompson se nettoyait les ongles. Victor était sorti ; on l'entendait hurler quelque chose aux opérateurs.

Killian appuya sur un bouton.

– Miss Jones ? Nous sommes prêts pour vous, mes chéries. (Il se leva.) C'est l'heure du maquillage, monsieur Richards. Ensuite, il y aura les essais d'éclairage. Je ne vous reverrai donc qu'à votre sortie.

– Parfait, dit Richards, ignorant sa main tendue.

Miss Jones, une petite brune en combinaison jaune vif, vint le chercher. Il était 14 h 30.

Compte à rebours... 081

Richards attendait en coulisses ; derrière lui, se tenaient deux flics. Il entendit le public assemblé dans la salle du studio applaudir Bobby Thompson. Il s'aperçut qu'il avait le trac, et se dit que c'était ridicule. Mais cela ne suffit pas à le chasser. Il était 18 h 01.

– Ce soir, notre premier concurrent est un homme fort rusé et malin, un habitant du quartier Sud de votre propre ville, disait Thompson.

Sur l'écran, apparut un gros plan de Richards, dans ses vieux vêtements gris et usés, pris quelques jours auparavant par une caméra cachée ; sans doute dans la salle d'attente du quatrième étage, à en juger par l'arrière-plan. La photo avait été retouchée. Les yeux étaient un peu plus cernés, le front un peu plus bas, la bouche un peu plus moqueuse. Juste ce qu'il fallait pour lui donner un aspect terrifiant : l'ange de la mort urbaine, brutal, pas réellement intelligent mais rusé comme certains animaux. Le croque-mitaine standard des petits-bourgeois.

– Cet homme est Benjamin Richards, vingt-huit ans. Regardez-le bien ! Dans une demi-heure, il va être lâché dans la ville ! Si vous le voyez – mais il faut le prouver – vous avez gagné cent dollars ! Si vous donnez un renseignement permettant de l'abattre, il y aura mille dollars *pour vous* !

L'esprit de Richards vagabondait ; il fut brutalement tiré de sa rêverie :

– ... et voici la femme qui touchera la cagnotte si Richards est abattu !

L'image de Thompson, sur son estrade bleue frappée de l'emblème des Jeux, fit place à une photo de Sheila. Cette fois, les retoucheurs avaient eu la main lourde. Le visage doux et un peu triste, pas vraiment joli, avait été transformé en celui d'une souillon à la sensualité vulgaire. De grosses lèvres très rouges, des yeux qui semblaient briller d'avarice, un soupçon de double menton, une poitrine impudemment dévoilée...

– *Salaud !* rugit Richards en se précipitant vers la scène.

Des bras musclés le retinrent.

– Calme-toi, mon gars, c'est qu'une photo.

Un moment plus tard, il fut à moitié poussé, à moitié traîné vers la scène.

La réaction du public fut instantanée : « Ordure, assassin ! » « A mort, à mort ! » « Tire ta sale gueule de là ! » « Dehors ! »

Bobby Thompson leva les mains en un geste d'apaisement.

– Allons, mesdames et messieurs, allons. Ecoutons d'abord ce qu'il a à nous dire.

Peu à peu, le calme revint.

Richards faisait face à la salle, la tête basse, les épaules rentrées, comme un taureau prêt à foncer. Il savait qu'il projetait exactement l'image de peur viscérale et de méfiance que les organisateurs désiraient, mais c'était plus fort que lui.

Il fixa Thompson d'un regard haineux.

– Cette photo de ma femme, quelqu'un va la payer cher, dit-il dans un murmure rauque. Je lui ferai bouffer ses couilles...

– Parlez plus fort, monsieur Richards ! dit Thompson avec juste ce qu'il fallait de mépris dans la voix. Personne ne vous fera de mal... Pas encore, du moins.

De nouveau, des cris hystériques fusèrent.

Richards releva brusquement la tête. Les spectateurs se turent, comme s'ils avaient reçu une gifle en plein visage. Des femmes le regardaient avec une expression de terreur presque sexuelle. Des hommes le fixaient avec un rictus meurtrier.

– Pourritures ! cria-t-il. Si vous tenez tant à voir le sang couler, qu'est-ce que vous attendez pour vous entre-tuer ?

Des rugissements couvrirent ses derniers mots. Quelques spectateurs (peut-être payés pour cela) essayèrent de monter sur la scène. Des policiers les retinrent. Richards leur faisait face, conscient d'avoir une expression à peine humaine.

– Merci pour ces paroles de sagesse, dit Thompson, qui ne déguisait plus son mépris. Pourriez-vous dire à notre public, et à tous les téléspectateurs, combien de temps vous pensez tenir ?

– Je tiens à dire à tous ceux qui suivent cette émission que la photo de ma femme qui vous a été présentée était une grossière falsification. Elle...

Des hurlements haineux l'empêchèrent de poursuivre. La foule devenait incontrôlable. Thompson dut attendre plus d'une minute avant de pouvoir répéter sa question :

– Combien de temps pensez-vous tenir, *monsieur* Richards ?

– Je compte aller jusqu'au bout des trente jours, dit Richards avec un calme glacial. Je ne crois pas que vous ayez quelqu'un d'assez fort pour m'avoir.

Nouveaux hurlements. Poings brandis. Quelqu'un lança une tomate.

Les bras levés, Bobby Thompson cria pour couvrir le tumulte :

– Sur ces paroles de défi purement gratuites, M. Richards va nous quitter. Demain à midi précis, la chasse commence. *N'oubliez pas son visage !* Il sera peut-être à côté de vous dans un pneumo... dans un jet... dans une salle de 3-D... ou vous le croiserez dans la rue. Ce soir, il est à Harding. Demain, New York ? Boise ? Albuquerque ? Colombus ? Caché derrière *votre* maison ? *Le dénoncerez-vous ?*

Un cri assourdissant surgit de mille gosiers :

– *OUIII !*

Richards leva soudain la main, le majeur et l'index écartés pour former un V, signe de la victoire. Cette fois, ils se précipitèrent en masse sur la scène. Protégé par un cordon de policiers, Richards fut entraîné vers les coulisses avant qu'ils ne puissent le lyncher en direct, ce qui aurait privé le Réseau de plusieurs jours d'émissions haletantes.

Compte à rebours... 080

Killian l'attendait en coulisses, plié en deux de rire.

– Bravo, monsieur Richards, bravo ! C'était superbe. Le coup du « V », génial ! Dommage que je ne puisse pas vous donner une prime, ça le méritait. Le geste de la fin... superbe !

– Il faut toujours contenter son employeur, dit Richards tandis qu'une pub apparaissait sur les écrans. Donnez-moi cette foutue caméra et allez vous branler ailleurs.

– Ce n'est pas dans mes goûts, répondit Killian sans cesser de sourire. Mais voici la caméra. (Il la prit des mains d'un technico qui attendait à proximité.) Chargée et prête à fonctionner. Et les cassettes.

Il lui tendit une petite boîte oblongue, étonnamment lourde pour sa taille.

Richards glissa la caméra dans une des poches de sa combinaison et les cassettes, dans l'autre.

– Bien. Où est l'ascenseur ?

– Pas si vite... Vous avez bien une minute ? Treize, en fait. Votre avance de douze heures ne commence officiellement qu'à 6 h 30.

Les hurlements de rage avaient repris. En regardant par-dessus son épaule, Richards vit que Laughlin était en scène. Il aurait voulu pouvoir lui souhaiter bonne chance.

– Vous me plaisez, Richards, et je pense que vous vous débrouillerez bien, reprit Killian. Vous avez un style nature qui me plaît immensément. Je suis un collectionneur, vous savez. Ma spécialité est l'art égyptien et préhistorique. Vous êtes plus proche de l'art des cavernes que des idoles égyptiennes, mais peu importe. J'aimerais vous mettre dans ma collection, à côté des peintures rupestres asiatiques.

– Accrochez mon électro-encéphalo au mur, espèce de salaud ! Ils ont dû le garder, en bas.

– J'aimerais par conséquent vous donner un conseil, poursuivit Killian, ignorant l'insulte. En fait, vous n'avez pas une chance de vous en tirer : personne ne peut survivre à une chasse à l'homme qui mobilise la nation entière, sans oublier l'entraînement et le matériel incroyablement sophistiqué des Chasseurs. Mais si vous adoptez un profil bas, vous durerez plus longtemps. Servez-vous davantage de vos jambes que des armes que vous pourrez trouver. Et... (il leva l'index pour donner plus de poids à ces mots)... restez près des pauvres, des gens comme vous. Evitez ces braves bourgeois : ils vous *haïssent.* Vous symbolisez toutes les peurs de cette époque instable et ténébreuse. Ce n'était pas que du théâtre, dans la salle. Ils vous haïssent de toutes leurs tripes. Richards. Vous l'avez senti ?

– Je l'ai senti. Moi aussi, je les hais.

Killian sourit.

– C'est bien pour ça qu'ils vont vous tuer. (Il prit Richards par le bras. Sa poigne était d'acier.) Par ici, venez.

Derrière eux, Bobby Thompson harcelait Laughlin à la grande joie de l'audience.

Un couloir blanc dont les parois renvoyaient l'écho de leurs pas. Au bout, un ascenseur.

– C'est ici que nous prenons congé, dit Killian. Express jusqu'à la rue. Neuf secondes.

Pour la quatrième fois, il lui tendit la main. Pour la quatrième fois, Richards la refusa. Pourtant, il s'attarda un moment.

– Et si je pouvais monter ? demanda-t-il, indiquant de la tête les quatre-vingts étages qui se trouvaient au-dessus d'eux. Qui pourrais-je tuer, là-haut ? Qui pourrais-je tuer si j'arrivais au sommet ?

Killian eut un rire qui n'était peut-être pas dénué de sympathie.

– Voilà ce qui me plaît chez vous. Vous pensez grand.

Il appuya sur un bouton. Les portes s'ouvrirent. Richards monta dans l'ascenseur. Les portes commencèrent à se refermer.

– Profil bas, répéta Killian, et Richards se retrouva seul.

Tandis que l'ascenseur tombait comme une pierre vers la rue, il sentit son estomac se décrocher.

Compte à rebours... 079

L'ascenseur s'ouvrait directement sur la rue. Un flic était posté juste à côté, à l'entrée du *Nixon Memorial Park*. Il ne se retourna même pas lorsque Richards sortit. Le nez levé vers la bruine qui tombait sans discontinuer, il tapotait songeusement son aiguillon électrique.

Comme le ciel était couvert, il faisait déjà presque nuit.

Les lampadaires étaient entourés de halos colorés. Les passants n'étaient guère plus que des ombres ; Richards n'était lui-même qu'une silhouette anonyme. Il emplit ses poumons d'air épais et chargé d'humidité. C'était bon, en dépit de l'odeur sulfureuse. Il avait l'impression de sortir de prison. Rien ne valait le grand air.

Restez près des gens comme vous, lui avait dit Killian. Il avait raison, bien sûr. Richards n'avait pas besoin de lui pour le savoir. Il savait aussi que demain à midi, lorsque la trêve serait finie, ce serait l'enfer à Co-Op City. Mais d'ici là, il serait loin.

Il marcha pendant un bon quart d'heure, puis fit signe à un taxi. Il espérait que le Libertel du taxi serait cassé ; c'était souvent le cas. Pas de chance : celui-ci fonctionnait parfaitement. Sur l'écran, il aperçut le générique de *La Grande Traque*. Merde !

– Vous allez où ?

– Robard Street.

C'était à distance prudente de sa destination. Ensuite, il connaissait des itinéraires détournés pour se rendre chez Molie.

Le vieux taxi à essence accéléra dans un grand fracas de pistons et de soupapes. Richards se renfonça dans le siège revêtu de vinyle, espérant que l'ombre cacherait son visage.

– Dites donc ! s'exclama soudain le chauffeur. Vous êtes pas le gars que je viens de voir au Libertel ? Pritchard ?

– C'est ça, dit Ben avec résignation. Pritchard.

La silhouette massive du Building des Jeux s'éloignait derrière eux. En dépit de sa malchance avec le chauffeur, il se sentait déjà plus léger.

– Ben mon vieux, on peut dire que vous avez pas froid aux yeux. Ils vont vous zigouiller, vous savez. Et comment ! Faut vraiment que vous ayez des couilles !

– Absolument, approuva Ben. Deux. Juste comme vous.

– Elle est bien bonne, celle-là ! Super ! Faudra que je la raconte à ma femme. C'est une vraie fan des Jeux. Faudra que je signale que j'vous ai vu, mais pour les cent dollars, c'est râpé. Les chauffeurs de taxi y ont droit que s'ils ont un témoin. Et personne vous a vu monter. C'est bien ma chance...

– Pas de pot. Désolé de ne pouvoir vous aider à me tuer. Vous voulez que je vous donne un mot certifiant que vous m'avez pris ?

– Vous feriez ça ? Bon Dieu, ça serait vraiment...

Ils venaient de franchir le Canal.

– Arrêtez-moi ici, dit Ben brusquement.

Il sortit un nouveau dollar de l'enveloppe que Thompson lui avait donnée et le laissa tomber sur le siège avant.

– Je vous ai pas vexé, au moins ? C'est pas à cause de...

– Non.

– Vous me le donnez, ce mot ?

– Va te faire voir, pauvre mec.

Il sortit et prit la direction de Drummond Street. Devant lui, se dressaient les sinistres immeubles de

Co-Op City, à peine éclairés. Il entendit le chauffeur lui crier : *J'espère qu'ils te descendront bientôt, petit con !*

Compte à rebours... 078

Il passa par une étroite cour prise entre deux bâtiments, rampa sous une clôture séparant deux déserts d'asphalte, traversa un chantier abandonné grouillant de rats. Il resta tapi un bon moment dans les décombres pendant qu'un gang de motards passait dans un rugissement d'enfer ; leurs phares perçaient l'obscurité comme les yeux de vampires déments. Après avoir franchi une dernière clôture (en s'entaillant une main), il frappa à la porte de Molie Jernigan.

Chez Molie, officiellement prêteur sur gages, on trouvait de tout – à condition d'avoir de quoi payer. Il pouvait vous trouver un aiguillon modèle police municipale, un fusil anti-émeutes, une mitraillette, de l'héroïne, du Push, de la coke, des déguisements divers, une pseudo-nana en styroflex (ou une pute en chair et en os si vous étiez trop fauché pour pouvoir vous payer du styro), et cent autres articles prohibés. Il pouvait également vous donner l'adresse de casinos clandestins ou de clubs « spéciaux ». S'il n'avait pas ce que vous cherchiez, il savait où le commander.

Lorsque Molie l'aperçut en ouvrant le judas, il lui dit avec un bon sourire :

– Tire-toi, tu veux ? Je t'ai jamais vu.

Prenant un air indifférent, Ben dit simplement :

– *Nouveaux* dollars.

Molie se hâta d'ouvrir la porte, comme s'il avait soudain peur que Richards ne change d'avis. L'entrepôt était plein de vieux journaux, d'instruments de musique volés, de caméras, qui voisinaient avec des cartons de conserve et autres denrées alimentaires. Au sud du Canal, il fallait vendre de tout pour survivre, et surtout ne pas se montrer trop avide. Molie faisait payer le maximum aux richards des quartiers Nord, mais vendait sa marchandise presque à prix coûtant, voire moins, aux gens du quartier. Il avait par conséquent bonne réputation à Co-Op City, et jouissait d'une excellente protection. Lorsqu'un flic demandait à un indic local (il y en avait des centaines) ce qu'il savait sur Molie Jernigan, il apprenait en tout et pour tout que Molie était un vieux bonhomme inoffensif, à moitié sénile, qui faisait un peu de marché noir. Ses relations avec des boîtes *très* spéciales ne comptaient pas. Il y avait longtemps que la brigade des mœurs avait été supprimée ; le gouvernement n'ignorait pas que le vice et les perversions sexuelles constituaient le meilleur rempart contre les tendances révolutionnaires. Et seuls quelques initiés savaient que Molie vendait aussi, à des prix somme toute raisonnables, des faux papiers.

– Que te faut-il ? demanda Molie.

Avec un soupir, il alluma une ancienne lampe en col de cygne, qui projeta une lumière très blanche sur le petit bureau qui tenait un coin de l'entrepôt. Il était vraiment vieux, au moins soixante-quinze ans. A la lumière, ses cheveux entièrement blancs prenaient des reflets argentés.

– Carte d'identité. Permis de conduire. Livret militaire. Carte bancaire Axial. Carte de Sécu.

– Facile. Normalement, ça serait soixante dollars. Mais pas pour toi, Bennie.

– Vous le ferez ?

– Pour ta femme, oui. Mais pas pour toi. Je ne vais pas risquer ma peau pour une tête brûlée comme Bennie Richards.

– Ça prendra combien de temps ?

Molie eut un regard sardonique.

– Connaissant ta situation actuelle, je vais essayer de faire vite. Compte une heure par document.

– Cinq heures en tout... Je pourrais aller...

– Pas question, Bennie. Tu es devenu fou ? Avant-hier, un flic a débarqué chez toi avec une grosse enveloppe pour ta femme. Il est arrivé dans un fourgon blindé, avec six autres flics au moins. Flapper Donnigan était au coin de la rue, il a tout vu. Il est venu me le raconter. Pas très malin le petit Flapper.

– Je sais, dit Ben. C'est moi qui ai envoyé l'argent. Et Sheila, ça va... ?

– Comment savoir ? répondit Molie en sortant d'un tiroir des formulaires vierges, des tampons, des stylos... Ils sont déjà des centaines autour de l'immeuble, Bennie. Si quelqu'un venait lui présenter ses condoléances, il se retrouverait dans la cave, entouré de vingt mecs armés de matraques en caoutchouc. Faut pas mettre les pieds là-bas. Tu veux un nom particulier sur ces papiers ?

– N'importe quel nom fera l'affaire, à condition qu'il soit anglo. Bon Dieu, Molie ! comment fait-elle pour acheter à manger ? Et le docteur pour Cathy... ?

– Elle a envoyé le gamin de Budgoe O'Sanchez. Comment il s'appelle, encore...

– Walt.

– C'est ça, Walt. Je m'y perds, dans tous ces Walt et Mick. Je deviens sénile, mon brave Bennie. (Il leva la tête, comme pris d'une inspiration subite.) Mick Jagger, ça, c'était quelqu'un ! Je parie que tu sais même pas qui c'est.

– Je sais qui c'est, répondit Ben, mais son esprit était ailleurs.

C'était pire qu'il ne pensait. Sheila et Cathy étaient elles aussi dans la cage. Au moins jusqu'à...

– Pour le moment, elles ne risquent rien, dit Molie comme s'il avait deviné ses pensées. Mais toi, n'y mets pas les pieds. Tu es du poison pour elles. Tu peux comprendre ça ?

– Oui, dit Richards, soudain submergé par un affreux désespoir.

Il ne pouvait même plus rentrer chez lui. Tout devenait grotesque, irréel. Dans son esprit, les images se bousculaient : Laughlin, Burns, Killian, Jansky, Molie, Cathy, Sheila...

Tout tremblant, il regarda la nuit noire par le soupirail. Molie s'était mis au travail, en chantonnant un air où il était question des yeux de Bette Davis. *Bette Davis ?*

– C'était un batteur, dit-il soudain. Dans ce groupe anglais, les Beetles. Mick McCartney.

– Ouais, ouais, dit Molie, penché sur sa tâche. Vous connaissez que ça, vous les gosses. Vous connaissez que ça.

Compte à rebours... 077

Il sortit de chez Molie à minuit dix, allégé de mille deux cents dollars. Molie lui avait également vendu un déguisement, simple mais efficace : cheveux gris, lunettes, jaquette qui modifiaient subtilement son profil et l'expression de sa bouche. Molie lui avait également conseillé de feindre un léger boitement : « Un rien, comme si tu avais une jambe moins forte que l'autre. Et n'oublie pas que tu as le pouvoir de troubler l'esprit des hommes. Le tout, c'est de t'en servir. Tu ne te souviens pas de cette réplique, hein ? »

Ben ne s'en souvenait pas.

Ses nouveaux papiers étaient au nom de John Griffen Springer, représentant en romans-cassettes. Age, quarante-trois ans ; veuf ; habitant Harding. Il n'avait pas le statut de technico ; cela valait sans doute mieux : les technicos avaient un jargon bien à eux.

Il se retrouva dans Robard Street à minuit et demi. Une bonne heure pour se faire attaquer. Mais aussi une bonne heure pour se déplacer discrètement.

Il traversa le Canal trois kilomètres plus à l'ouest, juste avant le lac. Il vit un groupe de clochards assis autour d'un petit feu, beaucoup de rats, mais pas un seul flic. A 1 h 15, il traversait le no man's land situé sur la rive nord du Canal, succession d'entrepôts, de compagnies de navigation et de gargotes. Un quart d'heure plus tard, entouré de la foule des fêtards allant de boîte en boîte, il estima qu'il pouvait sans risque prendre un taxi.

Cette fois, le chauffeur le regarda à peine.

– Au Jetport, lui dit Richards.

– Ça marche, dit l'homme en démarrant.

En dépit de la circulation assez dense, ils arrivèrent à l'aéroport à 1 h 50. Traînant légèrement une jambe, Ben passa devant plusieurs policiers, qui ne firent pas attention à lui. Il prit un billet pour New York : la première destination qui lui venait à l'esprit. Il partit par la navette de 2 h 20. Il n'y avait qu'une quarantaine de passagers ; surtout des hommes d'affaires cuvant une cuite, ainsi que quelques étudiants. Le contrôle d'identité avait été une simple routine. Peu après le décollage, il s'assoupit.

Ils atterrirent à 3 h 06. Richards quitta l'aéroport sans incident.

A 3 h 15, le taxi s'engageait dans la voie express Lindsay. Il traversa Central Park en diagonale. A 3 h 20, Richards se fondit dans la ville la plus peuplée du monde.

Compte à rebours... 076

Il descendit au *Brant*, un hôtel tout juste convenable de l'East Side. Le quartier commençait à être à la mode ; il était tout de même à bonne distance de Manhattan, qui restait *le* quartier chic – le plus prestigieux du monde, en fait. En remplissant sa fiche, il repensa à la mise en garde de Dan Killian : *Restez près des vôtres.*

Pensant qu'il valait mieux ne pas arriver dans un hôtel à une heure pareille, il avait fait arrêter le taxi à Times Square et était resté jusqu'à 9 heures du matin dans un « perverto-show » permanent. Il était mort de fatigue, mais chaque fois qu'il s'assoupissait, il était réveillé par une main qui lui frôlait la cuisse.

– Combien de temps restez-vous ? demanda l'employé de la réception en regardant la fiche au nom de John G. Springer.

– Aucune idée, répondit Richards en s'efforçant de prendre le ton mielleux d'un bon représentant de commerce. Ça dépend de la clientèle, vous savez.

Il lui versa soixante nouveaux dollars, correspondant à deux jours, et prit l'ascenseur pour le vingt-troisième étage. La fenêtre offrait une vue de l'East River, sinistre à souhait. A New York aussi, il pleuvait.

La chambre était propre mais totalement impersonnelle. Dans la salle de bains attenante, la chasse d'eau faisait entendre un gargouillis constant. Il essaya en vain de la réparer.

Il commanda un petit déjeuner – œuf poché sur toast, boisson à l'orange, café. Lorsque le boy arriva avec le plateau, il lui donna un pourboire soigneusement calculé pour ne laisser aucun souvenir.

Après avoir posé le plateau devant la porte, il examina la caméra vidéo. Une petite plaque fixée sous le viseur donnait le mode d'emploi :

1. Introduisez à fond la cassette spéciale dans la fente A.

2. Tournez la bague de l'objectif pour obtenir la focale que vous désirez.

3. Appuyez sur le bouton B pour enregistrer image + son.

4. Un signal sonore indique la fin de la cassette, qui sera éjectée automatiquement.

Durée de l'enregistrement : dix minutes.

« Parfait, se dit Richards. Ils pourront me regarder dormir. »

Il posa la caméra sur la table, la cala à l'aide de la Bible qui s'y trouvait, et vérifia le cadrage dans le viseur. Un mur gris et anonyme. Un lit parfaitement standard. Rien qui pût indiquer le lieu où il se trouvait. A cette hauteur, le bruit venant de la rue était négligeable ; pour plus de précaution, il ferait couler la douche.

Il faillit pourtant presser le bouton et passer dans le champ avec son déguisement. Quel crétin ! Il prit la taie d'oreiller et l'enfila comme une cagoule, puis mit la caméra en marche et alla s'asseoir sur le lit, face à l'objectif.

– Coucou ! s'écria Ben Richards d'une voix creuse, s'adressant aux millions de téléspectateurs horrifiés qui allaient le regarder le soir même. Vous ne pouvez pas le voir, mais je rigole en vous imaginant devant vos écrans, tas de merdeux !

Il s'allongea, ferma les yeux et essaya de vider son esprit. Lorsque la cassette s'éjecta avec un petit « bip » dix minutes plus tard, il dormait à poings fermés.

Compte à rebours... 075

Quand Ben se réveilla, peu après 4 heures de l'après-midi, la chasse était ouverte. Depuis environ 3 heures, compte tenu du décalage horaire. Cela lui faisait froid dans le dos rien que d'y penser.

Il introduisit une nouvelle cassette dans la caméra, prit la Bible et lut à voix haute les Dix Commandements pendant dix minutes d'affilée, la taie d'oreiller sur la tête.

Il y avait des enveloppes dans le tiroir de la table de chevet, mais elles portaient le nom et l'adresse de l'hôtel. Il hésita un moment, puis haussa les épaules. Ça n'y changerait rien. Killian lui avait donné sa parole que le lieu d'envoi des cassettes, révélé soit par une adresse soit par le cachet de la poste, serait tenu secret. Il ne pouvait que lui faire confiance : il fallait envoyer ces cassettes, et on ne lui avait pas fourni de pigeons voyageurs.

Ben avait vu une boîte aux lettres près de l'ascenseur. Il alla y déposer les deux cassettes, empli de sombres pressentiments. Les employés des postes n'avaient pas le droit de participer aux Jeux et ne toucheraient en tout état de cause aucune récompense – n'importe, cela paraissait horriblement risqué. Mais il n'avait pas le choix : s'il n'envoyait pas ces foutues cassettes, il ne toucherait pas un sou.

Il regagna sa chambre, alla fermer la douche (la salle de bains était aussi chaude et humide qu'une forêt tropicale) et s'assit sur le lit, le dos bien calé contre le mur, pour réfléchir.

Comment leur échapper ? Quelle était la meilleure stratégie ?

Il essaya de se mettre dans la peau du concurrent

moyen. La première réaction, purement instinctive, était bien sûr : se terrer. Trouver un trou et ne plus en bouger.

C'est ce qu'il avait fait dans cet hôtel.

Les Chasseurs s'y attendaient-ils ? Evidemment. Ils ne se lanceraient pas à la poursuite d'un fuyard, loin de là. Ils iraient à la recherche d'un homme qui se cache.

Pourraient-ils le retrouver ici ?

Il aurait voulu pouvoir répondre par la négative, mais... Sans être mauvais, son déguisement était somme toute assez précaire. Les observateurs perspicaces étaient rares, mais il y en avait. Peut-être avait-il déjà été repéré. L'employé de la réception. Le boy qui lui avait monté le petit déjeuner. Un des visages anonymes du « perverto-show ».

Peu probable, mais pas exclu.

Et que valait la fausse identité que Molie lui avait fabriquée ? Le premier chauffeur de taxi l'avait amené tout près de Co-Op City. Et les Chasseurs étaient d'une redoutable efficacité. Ils allaient interroger tout le quartier. Sans répit. Leurs méthodes de persuasion étaient très sophistiquées. Quelqu'un finirait par leur dire qu'à l'occasion, Molie vendait aussi des faux papiers. La suite était prévisible. Molie leur tiendrait tête un moment, pour montrer au voisinage qu'il avait du cran, puis finirait par cracher le morceau. Il ne tenait pas à voir son entrepôt partir en fumée. Ensuite, une simple vérification au Jetport leur apprendrait la destination de John G. Springer.

S'ils trouvaient vraiment Molie.

Il FAUT supposer qu'ils le trouveront.

Alors, partir d'ici. Pour aller où ?

Ben n'en avait aucune idée. Il avait passé sa vie entière à Harding, dans le Midwest. Il ne connaissait pas la côte Est. Pour lui, c'était l'inconnu.

Son esprit surexcité sombra dans une rêverie morbide. Ils avaient facilement trouvé Molie, et lui avaient arraché le nom « Springer » en cinq minutes, après lui avoir écrasé deux ongles et versé de l'essence dans le nombril, en menaçant d'y mettre le feu. Un coup de téléphone leur avait suffi pour apprendre le numéro du vol qu'il avait pris ; deux hommes élégants et anonymes, vêtus des mêmes gabardines grises, étaient arrivés à New York à 2 h 30 E.S.T. Des correspondants avaient entre-temps appris qu'il était descendu au *Brant* : un ordinateur centralisait quotidiennement la clientèle de tous les hôtels de la métropole. Ils étaient dehors, maintenant, guettant sa sortie. L'hôtel était cerné. Les réceptionnistes et les boys avaient été remplacés par des Chasseurs. Il y en avait dans les ascenseurs et dans l'escalier de secours. Ils tournaient autour du bâtiment dans des air-cars. Ils étaient partout. Dans un moment, ils allaient enfoncer la porte, et, sous les yeux d'une caméra triomphalement brandie par des bras musclés, allaient le réduire en charpie pour la postérité.

Richards se redressa, couvert de sueur.

Fuir. Vite.

D'abord Boston ; ensuite, il aviserait.

Compte à rebours... 074

A 17 heures, il descendit à la réception. L'employé était tout souriant, sans doute parce que la fin de la journée approchait.

– Bonsoir, monsieur...

– Springer. (Ben lui rendit son sourire.) Il semble que j'aie trouvé le bon filon. Trois gros clients... Je compte donc rester deux jours de plus dans votre excellent hôtel. Si vous désirez que je règle d'avance ?

— Avec plaisir, monsieur.

Les dollars changèrent de mains. Souriant toujours, Ben regagna sa chambre. Le couloir était vide. Il accrocha la pancarte NE PAS DÉRANGER à la poignée et gagna rapidement l'escalier de secours.

La chance était avec lui. Il ne rencontra personne, et sortit par la porte pare-feu sans être observé.

Il ne pleuvait plus, mais des nuages menaçants s'accrochaient aux tours de Manhattan. Sans se donner la peine de boiter, Richards marcha rapidement jusqu'au terminus des bus électriques. Il était encore possible d'acheter un billet de Greyhound sans montrer ses papiers.

— Boston, dit-il au caissier barbu.

— Vingt-trois dollars. Prochain bus à 6 h 15.

Il paya, ce qui lui laissait un peu moins de trois mille nouveaux dollars. Une heure d'attente. La gare routière était noire de monde. Beaucoup d'engagés du corps volontaire, avec leurs bérets bleus, leurs visages juvéniles et brutaux. Il acheta un magazine perverto, s'assit sur un banc près du panneau indiquant BOSTON, et se cacha le visage derrière le périodique, tournant de temps en temps une page pour ne pas ressembler à une statue.

Lorsque le bus arriva, il referma le magazine, puis se joignit au groupe qui attendait devant les portes pneumatiques.

— Hé ! Vous, là-bas !

Il se retourna. Un garde arrivait en courant. Paralysé de terreur, il aurait été incapable de s'enfuir. Ils allaient l'abattre comme un chien dans cette gare routière crasseuse, devant ce mur couvert de graffiti obscènes, sur ce trottoir plein de chewing-gums écrasés...

— Arrêtez-le ! Arrêtez-le !

Le garde changea brusquement de direction. Ce n'était pas du tout à Richards qu'il en voulait, mais à un gosse d'aspect misérable qui courait à toutes jambes vers les escaliers, se frayant un chemin dans la foule en faisant tournoyer un sac à main qu'il tenait à bout de bras.

Le garde et sa proie disparurent, montant les escaliers quatre à quatre. Les voyageurs, qui avaient regardé la scène avec un vague intérêt, commencèrent à monter comme s'il ne s'était rien passé.

Glacé jusqu'aux os et s'efforçant de ne pas montrer qu'il tremblait, Richards s'affala sur un siège, vers le fond du bus. L'alerte avait été chaude. « Si j'avais eu un pistolet, je l'aurais descendu sur place ! »

Dans son esprit, une autre voix ajouta : *La prochaine fois, ce ne sera pas un petit pickpocket. Ça sera toi.*

A Boston, il fallait trouver une arme. Absolument.

Il se souvint de Laughlin disant qu'il balancerait quelques salopards par la fenêtre avant qu'ils ne le massacrent.

Le bus monta la rampe, et commença à rouler vers le nord aux dernières lueurs du crépuscule.

Compte à rebours... 073

Le Y.M.C.A. de Boston se trouvait en haut de Huntington Avenue. Au milieu du siècle passé, c'était un des meilleurs quartiers de la ville. Un gros bloc carré, noirci par les ans. La vieille enseigne au néon continuait à clignoter nostalgiquement en direction du quartier des théâtres et du vice ; rappel d'une autre époque, et squelette d'une idée assassinée.

Lorsque Richards entra, le réceptionniste – un monsieur très digne et grisonnant – était en train de se chamailler avec un minuscule gamin noir vêtu d'un maillot crasseux qui lui arrivait aux genoux. L'objet de la dispute était apparemment un distributeur de chewing-gums placé près de la porte.

– Mes cinq *cents* ! hurlait le gamin. J'vous dis que la machine a gardé ma pièce, et j'ai pas eu de chouing-gomme !

– Veux-tu filer d'ici ? Et en vitesse, sinon j'appelle le détective !

– C'était ma seule pièce, pleurnicha le gamin dans une vaine tentative d'apitoyer le réceptionniste. Cette sale machine me l'a prise...

– Si tu es encore là dans une seconde, j'appelle le détective, rétorqua l'homme en portant la main à un bouton, réel ou imaginaire, situé sous son bureau.

Le gosse s'éclipsa aussitôt, non sans donner au passage un coup de pied rageur au distributeur.

Le réceptionniste le regarda s'éloigner dans la rue, puis se tourna vers Richards en souriant.

– On ne peut plus rien dire aux nègres, de nos jours. Si je dirigeais le Réseau, je les mettrais tous en cage.

– Il a vraiment perdu ses cinq *cents* ? demanda Richards, tout en écrivant sur le registre : John Deegan, venant du Michigan.

– Si c'est le cas, il les avait volés, répondit l'employé. Mais si je lui donnais une pièce, il m'enverrait cinquante de ses petits copains qui essayeraient le même coup. Leurs parents ne s'occupent pas d'eux, que voulez-vous... Ces enfants sont livrés à eux-mêmes. Combien de temps comptez-vous rester, monsieur Deegan ?

– Je ne sais pas encore. Je suis venu pour affaires : tout dépendra du climat.

Il essaya un sourire onctueux ; lorsqu'il eut exactement la qualité requise, il l'élargit encore un peu. L'employé le reconnut aussitôt (sans doute l'avait-il déjà vu dans son propre reflet sur le comptoir en faux marbre poli par des millions de coudes) et le lui rendit.

– Ce sera quinze dollars cinquante, monsieur Deegan. (Il lui tendit une clef attachée à un rectangle de bois usé.) Chambre 512.

– Merci. Richards paya. Heureusement que le Y.M.C.A. existait : c'était l'un des rares endroits où l'on ne vous demandait pas vos papiers.

Sur le chemin de l'ascenseur, il passa devant la bibliothèque de prêt chrétienne, faiblement éclairée par des globes jaunâtres pleins de chiures de mouches. Un vieil homme portant une redingote noire râpée tournait lentement les pages d'un pamphlet en s'humectant le pouce. En entendant sa respiration sifflante à travers la porte vitrée, Richards ressentit un mélange d'horreur et de pitié.

Au moment de monter dans l'ascenseur, il entendit le réceptionniste dire à voix haute, sans s'adresser à personne en particulier : « C'est une honte, un péché. Il faudrait tous les mettre en cage ! »

Compte à rebours... 072

Le couloir du cinquième étage sentait la pisse. Il était si étroit que Richards se sentit devenir claustrophobe. Le sol était couvert d'un tapis en jute usé jusqu'à la corde, qui avait peut-être été rouge autrefois. Les portes étaient peintes en gris foncé. Plusieurs portaient des marques de coups de pied ; d'autres, des traces suspectes près de la serrure, comme si on avait tenté de les forcer avec un levier. Tous les dix mètres, un écriteau disait : DÉFENSE DE FUMER DANS LE COULOIR *Par ordre des Services de Lutte contre l'Incendie.*

En approchant des toilettes communes situées au milieu du couloir, l'odeur d'urine devint presque suffocante. Pour Richards, c'était l'odeur même du désespoir. Derrière les portes fermées, on entendait les occupants des chambres bouger comme des animaux en cage – des animaux trop affreux, trop effrayants pour les montrer au grand jour. Quelqu'un psalmodiait d'une voix d'ivrogne un texte qui semblait être le *Je Vous Salue Marie*. Ailleurs, c'étaient d'inquiétants bruits de succion. D'une autre porte, venait un air de country-western (*I ain't got a buck for the phone / and I'm so alone...*). Un grincement solitaire de sommier. Des pleurs. Des rires. Le bruit d'une dispute, pleine d'hystérie rentrée. Derrière d'autres portes, c'était le silence. Un homme à la poitrine creuse croisa Richards, une savonnette et une serviette à la main ; il portait un pantalon de pyjama retenu par une ficelle, et des chaussons en papier.

Richards ouvrit la porte de sa chambre et entra. Il y avait un gros verrou ; il le poussa. Un lit, avec des draps presque blancs et une couverture des surplus de l'armée. Un bureau en bois plaqué, dont un tiroir manquait. Au mur, un chromo représentant Jésus. A l'angle de deux murs, une barre de fer avec deux portemanteaux. Rien d'autre, sinon la fenêtre, qui donnait sur l'obscurité. Il était 10 h 15 du soir.

Il accrocha sa veste, ôta ses chaussures et s'allongea sur le lit, se sentant terriblement seul et vulnérable. L'univers semblait grincer et rugir comme un vieux tacot descendant à toute allure une pente conduisant à un abîme sans fond. Ses lèvres se mirent à trembler. Il pleura.

La caméra était à portée de sa main, mais il n'enregistra pas ses larmes. Il regarda le plafond parcouru de fines craquelures, comme certaines céramiques, et essaya de réfléchir. Ils étaient à sa poursuite depuis huit heures. Il avait donc gagné huit cents dollars. Même pas le montant de son avance !

Et il ne s'était pas vu au Libertel. Il avait manqué l'épisode où il était coiffé de la taie d'oreiller.

Où étaient-ils ? Toujours à Harding ? A New York ? En route pour Boston ? Non, pas encore. Ce n'était pas possible. Le bus n'avait rencontré aucun barrage de police. Il avait quitté anonymement la plus grande ville du monde, et était descendu ici sous un *autre* faux nom. Ils ne pouvaient pas l'avoir repéré. Pas si vite.

Boston serait sans doute sûr pendant deux jours. Ensuite, quoi ? Le New Hampshire ou le Vermont, au nord. Ou bien Hartford, Philadelphie, voire Atlanta, au sud. A l'est, c'était l'océan, et, au-delà, l'Angleterre et l'Europe. Une idée tentante, pour sûr, mais de réalisation difficile. Pour acheter un billet d'avion, il fallait montrer ses papiers, sans oublier que la loi martiale était en vigueur en France. Trop dangereux. L'Ouest était évidemment exclu : c'était de là qu'il venait.

Il fallait absolument se procurer un pistolet. Sans tarder. Mais ce soir, il était trop las. Le voyage en car l'avait vidé. C'est fatigant d'être un fugitif. Richards avait besoin de sommeil. Il avait la certitude instinctive, presque animale, que bientôt il dormirait dans un fossé à moitié gelé (on était en octobre) ou dans un égout. Le pistolet attendrait bien un jour.

Il ferma la lumière et attendit le sommeil.

Compte à rebours... 071

C'était l'heure du *One man show*. Richards mit la caméra en marche, puis lui tourna le dos, lui présentant ses fesses, et se mit à fredonner l'air du générique de *La Grande Traque*.

Il s'était toujours considéré comme un homme peu démonstratif, guère enclin à la plaisanterie. La caméra et la perspective d'une mort prochaine avaient révélé en lui un comédien doté d'un indubitable sens de l'humour.

Lorsque la cassette s'éjecta, il décida d'attendre l'après-midi pour enregistrer la seconde. Il trouverait peut-être quelque chose de moins assommant que cette chambre solitaire.

Après s'être habillé, il alla regarder par la fenêtre.

Jeudi matin... La circulation était dense dans Huntington Avenue. Les deux trottoirs étaient pleins de piétons. La plupart avançaient lentement. Quelques-uns s'attardaient, mais pas trop longtemps, devant des affiches proclamant en lettres d'un jaune éclatant : EMPLOIS. A chaque coin de rue, se tenait un flic, qui faisait tournoyer son aiguillon, l'air de dire : *circulez, circulez, vous n'avez rien à faire ici.* Les gens comprenaient le message et évitaient de s'attarder. Mal aux pieds ou pas, il fallait continuer à marcher.

Richards se demanda s'il pouvait risquer d'aller prendre une douche. Après mûre réflexion, il décida de tenter le coup. Une serviette sur l'épaule, il gagna les toilettes sans rencontrer personne.

L'odeur avait de quoi faire tourner de l'œil : un mélange d'urine, de merde, de vomi et de désinfectant. Bien sûr, les portes des W.-C. avaient toutes été arrachées. Au-dessus de la rangée d'urinoirs, quelqu'un avait marqué en lettres de trente centimètres de haut À BAS LE RÉSEAU ; la façon dont les caractères étaient tracés reflétait fidèlement sa rage et sa frustration. Dans un des urinoirs, il y avait un gros tas d'excréments, sur lequel se promenaient quelques mouches paresseuses. « En voilà un qui devait être complètement bourré », pensa Richards. Il n'était même pas dégoûté – mais content d'avoir pensé à mettre ses chaussures.

Il se retrouva seul dans la salle de douches au carrelage craquelé et aux tuyauteries couvertes d'une épaisse couche de rouille. Il ouvrit le robinet marqué « chaud » au maximum et patienta cinq minutes avant d'obtenir un jet d'eau tiède. Il se lava rapidement, avec un bout de savon trouvé par terre. La direction avait dû oublier d'en mettre dans les chambres, ou bien la soubrette avait filé avec.

Alors qu'il regagnait sa chambre, un homme affligé d'un bec-de-lièvre lui donna un prospectus.

Richards s'assit sur son lit et alluma une cigarette. Il avait faim, mais ne voulait pas sortir avant la nuit. L'ennui le poussa de nouveau vers la fenêtre.

Il compta les marques de voitures – Ford, Chevrolet, Wint, VW, Plymouth, Studebaker, Rambler-Suprême. Puis il compta le nombre de voitures de chaque marque : la première qui arrive à cent est proclamée gagnante. Un jeu stupide, mais c'était mieux que rien.

En haut de Huntington Avenue, se trouvait la Northeastern University. Juste en face du Y.M.C.A., il y avait une grande librairie automatisée. Tout en comptant les voitures, il observa les étudiants, qui étaient nombreux dans la foule. Ils avaient les cheveux plus courts que les autres gens, et portaient presque tous des pulls à carreaux ; ça devait être en vogue dans les campus cette année. Leur assurance teintée de supériorité fit venir un sourire amer aux lèvres de Richards. Dans les parkings limités à cinq minutes situés dans la librairie, les voitures de sport (souvent de flamboyants modèles étrangers) se succédaient sans relâche. Beaucoup avaient des autocollants sur la lunette arrière : Northeastern, M.I.T., Boston College, Harvard. La plupart des passants « ordinaires » ne prenaient pas garde aux luxueuses voitures ; quelques-uns les lorgnaient avec envie.

Juste devant l'entrée de la librairie, une Wint fut remplacée par une Ford à la carrosserie surbaissée, qui attendait la place. Le conducteur, un type aux cheveux coupés en brosse qui fumait un long cigare, mit au point mort pendant que son passager descendait : un gars râblé, vêtu d'une veste de chasse marron et blanc. Il entra dans la librairie. Ses mouvements étaient souples et rapides.

Richards soupira. Pas très amusant, de compter les voitures. Les Ford arrivaient en tête par 78 à 40 pour leur meilleur concurrent. Le score final était aussi prévisible que celui des prochaines élections.

On frappa à la porte. Richards se raidit, comme frappé par la foudre.

– Frankie ? Tu es là ? Frankie ?

Une voix de femme. Le cœur battant, Richards retint son souffle.

– Va te faire foutre, Frankie !

Un ricanement d'ivrogne, puis des bruits de pas. La créature frappa à la porte voisine.

– Frankie, tu es là ?

Richards osa enfin respirer. Mais il avait toujours une boule douloureuse dans la gorge.

Une autre Ford prit la place de la précédente. 79. Merde.

Le temps passait lentement. Une heure de l'après-midi. Il le savait grâce aux carillons de diverses horloges. Curieusement, l'homme qui luttait contre la montre n'avait pas de montre.

Il jouait maintenant à une variante du même jeu. Les Ford comptaient pour deux points ; les Studebaker, pour trois ; les Wint, pour quatre. Le premier qui totalise cinq cents points gagne.

Un petit quart d'heure plus tard, il revit le mec en veste de chasse blanc et marron. Adossé à un lampadaire, il regardait une affiche de concert. Il ne bougeait pas, mais le policier posté à proximité ne lui accordait même pas un regard.

Tu as la cervelle ramollie, mon petit. Tu vas finir par

les voir à tous les coins de rues. Une Wint avec un pare-chocs tout bosselé. Une Ford jaune. Une vieille Stud avec son cylindre d'air comprimé sur le toit. Une VW – ça ne compte pas, elles ne font pas partie du peloton de tête. Encore une Wint. Une Stud...

Un homme fumant un long cigare attendait nonchalamment à l'arrêt de bus situé à gauche de la librairie. Il était le seul à attendre. Et pour cause. Un bus venait juste de passer ; à force d'observer la circulation, Richards savait qu'il n'y en aurait pas d'autre avant une demi-heure.

Richards sentit ses testicules se glacer.

Un vieil homme portant un raglan noir élimé traversa prudemment la rue et se posta devant le bâtiment, les mains dans les poches.

Deux types en pulls écossais descendirent d'un taxi en parlant avec animation, et se mirent à étudier le menu du restaurant *Stockholm.*

Un flic s'approcha de l'homme qui attendait à l'arrêt de bus, échangea quelques mots avec lui, puis repartit.

Richards remarqua avec une terreur qui n'osait pas encore dire son nom que les mêmes personnes, marchant plus lentement que les autres, revenaient souvent dans la foule. Leurs vêtements, leur attitude semblaient vaguement familiers, comme les voix lointaines des morts dans les rêves.

Il y avait également davantage de policiers.

« Ils sont en train de me cerner », pensa-t-il, se sentant effroyablement impuissant, comme un lapin le jour de l'ouverture.

Non, se corrigea-t-il. Ils m'ont *déjà* cerné.

Compte à rebours... 070

Richards sortit de la chambre et gagna rapidement les toilettes, ignorant sa terreur comme un homme qui longe un précipice ignore son vertige. Avant tout, garder la tête froide. S'il cédait à la panique, il était fichu.

Dans la douche, une voix éraillée chantait (abominablement faux) une chanson à la mode. Ailleurs, il n'y avait personne.

L'idée lui était venue tout naturellement, alors qu'il les regardait s'assembler avec une sinistre désinvolture. S'il n'y avait pas pensé, il serait sans doute toujours à la fenêtre, pareil à Aladin regardant la fumée de la lampe prendre peu à peu la forme d'un djinn omnipotent. Quand il était gosse, il avait utilisé ce truc avec des copains pour aller dans les sous-sols des immeubles. Ils y récupéraient des vieux journaux, que Molie leur achetait cinq *cents* le kilo.

D'un geste sec, il arracha un des porte-savons en fil de fer fixés au-dessus des lavabos. Il était un peu rouillé, mais c'était sans importance. Il sortit dans le couloir et alla droit vers l'ascenseur, tout en redressant une section du fil de fer.

Il appuya sur le bouton. L'ascenseur mit une éternité à arriver. Mais il était vide. Dieu merci, il était vide !

Après s'être assuré qu'il n'y avait personne dans le couloir, il entra dans la cabine. A côté du bouton marqué « sous-sol », il y avait une fente ; le concierge et le gardien possédaient une carte électronique spéciale qui permettait de déclencher ce bouton.

Et si ça ne marche pas ?

T'occupe pas de ça maintenant. Essaie et tu verras bien.

Se raidissant (une décharge électrique n'était pas

exclue), il enfonça le fil de fer dans la fente, le plus profondément possible, et appuya simultanément sur le bouton.

Il y eut un grésillement rageur, et Richards sentit une petite secousse dans le bras. Puis, pendant un bon moment, rien d'autre. Finalement, la porte se ferma et l'ascenseur se mit laborieusement en marche, tandis qu'un mince filet de fumée bleuâtre sortait de la fente.

Adossé au fond de l'ascenseur, Richards regarda les chiffres défiler sur le petit panneau lumineux. 4... 3... 2... 1... A « R », l'ascenseur hésita, comme s'il allait s'arrêter, puis (estimant peut-être qu'il avait assez fait peur à Richards) continua à descendre avec un grincement de poulies mal huilées. Vingt secondes après, la porte s'ouvrit, et Richards pénétra dans le vaste sous-sol sombre et humide. Il tendit l'oreille. Un bruit d'eau qui goutte. Un rat qui détale furtivement. Rien d'autre. Pour le moment.

Compte à rebours... 069

De gros tuyaux couverts de toiles d'araignées couraient en tous sens au plafond. Lorsque la chaudière se mit brusquement en marche, il faillit pousser un cri de terreur. La décharge d'adrénaline le fit se plier en deux de douleur.

Ici aussi, il y avait des journaux. Plein de gros paquets maintenus par une ficelle, entre lesquels les rats avaient fait leurs nids. Il devait y en avoir des milliers. Des familles entières regardaient l'intrus de leurs petits yeux rougeâtres.

Il s'avança sur le sol de ciment, prenant garde à ne pas mettre les pieds n'importe où. Arrivé à peu près au centre de la cave, il s'arrêta pour examiner les lieux.

Un peu plus loin, une grosse boîte à fusibles était fixée à un poteau en béton. Au pied de celui-ci, étaient posés quelques vieux outils. Il prit une barre à mine et continua à avancer, les yeux fixés au sol.

Tout au fond et sur sa gauche, il aperçut enfin ce qu'il cherchait. Le regard conduisant aux égouts. Il s'en approcha, tout en se demandant si les autres savaient déjà qu'il était ici.

Le regard était couvert d'une lourde grille en fonte. En faisant levier avec la barre, il parvint à la soulever. Maintenant la barre avec le pied, il empoigna le rebord de la grille des deux mains et réussit à la pousser de côté. Elle retomba sur le ciment avec bruit, faisant détaler des rats de tous côtés.

Le tuyau de fonte descendait à un angle de quarante-cinq degrés. Sa section ne devait pas être supérieure à soixante-quinze centimètres. Richards sentit un affreux sentiment de claustrophobie l'envahir. Tout juste assez large pour s'y glisser. Il se sentait déjà étouffer. Mais il n'avait pas le choix.

S'arc-boutant de toutes ses forces, il remit la grille sur le bord de l'orifice, de façon à pouvoir la saisir quand il serait à l'intérieur. Ensuite, il retourna au pilier où se trouvait la boîte à fusibles. Il commençait à retirer ces derniers lorsqu'une autre idée lui vint.

Il alla vers les paquets de journaux jaunis, entassés sur toute la longueur du mur où arrivait l'ascenseur. Il trouva la pochette d'allumettes toute racornie avec laquelle il avait allumé ses cigarettes. Il en restait trois. Il arracha deux feuilles de journal et les enroula en cornet. Un courant d'air éteignit aussitôt la première allumette. La seconde échappa à ses doigts tremblants et tomba sur le sol humide.

Il réussit à allumer la troisième et enflamma la torche de papier. Lorsque la flamme jaune et fumante eut une vingtaine de centimètres de haut, il posa précautionneusement la torche entre deux tas de journaux. Le réservoir de fuel du chauffage central était à quelques pas. Avec un peu de chance, il exploserait.

Il retourna en courant à la boîte à fusibles et se mit à les arracher. Il était presque arrivé au bout lorsque la lumière s'éteignit dans le sous-sol. Il gagna à tâtons le regard, se guidant à la lumière dansante de l'incendie qui s'étendait lentement.

Il s'assit sur le bord, les pieds ballants, puis se laissa glisser à l'intérieur, en se retenant à la grille. Lorsqu'il fut assez bas, il cala ses genoux contre la paroi et s'efforça de remettre la grille en place. Dans cet espace exigu, cela lui demanda un effort gigantesque. Il arriva finalement au bout de ses peines – la grille retomba avec un bruit sourd qui se répercuta dans les canalisations. La lumière de l'incendie, de plus en plus vive, projetait des ombres fantomatiques. Une odeur de fumée commençait à emplir l'air.

Les épaules, la nuque et les mains endolories, il se laissa glisser plus bas, aidé par la boue visqueuse qui recouvrait le tuyau. Au bout de trois à quatre mètres, ses pieds touchèrent le fond. Il avait atteint l'endroit où la canalisation devenait horizontale. Mais le coude était si raide et si étroit qu'il paraissait impossible de passer.

L'affreuse claustrophobie s'empara de nouveau de lui. *Prisonnier*, balbutiait son esprit. *Prisonnier dans cet immonde tuyau, prisonnier, prisonnier, prisonnier...*

Il se reprit énergiquement en main.

Allons, calme-toi. C'est horrible, je sais, tous les poncifs du roman d'épouvante y sont. Mais il faut rester calme. Très, très calme. Si on reste coincé ici sans pouvoir descendre ni remonter, et que ce foutu réservoir explose, on va se faire rôtir...

Lentement, il commença à se retourner pour se mettre à plat ventre dans le tuyau incliné. Il faisait très clair, maintenant, et l'air devenait de plus en plus chaud.

En repliant les genoux, il parvint à glisser ses jambes et ses cuisses dans la section horizontale du tuyau. Ça ne suffisait pas. Ses fesses restaient bloquées.

Derrière le crépitement des flammes, il crut entendre des voix crier des ordres. Peut-être était-ce son imagination enfiévrée. Le mieux était de ne pas en tenir compte.

Par petites secousses successives, il réussit à gagner un peu de terrain. Péniblement, il dégagea ses bras et les leva au-dessus de sa tête, mais ils avaient peu de prise sur la surface gluante. Cela lui permit de gagner encore quelques centimètres.

Sur le point de perdre courage – peut-être était-ce réellement trop étroit – il fit un ultime effort, crispant douloureusement tous ses muscles. Soudain, ses fesses et ses hanches franchirent l'obstacle, comme un bouchon de champagne expulsé de l'étroit goulot. Au prix de quelques bleus et égratignures, ses épaules passèrent aussi, et il se retrouva dans le tuyau horizontal. Il s'immobilisa un moment, haletant, les mains et le visage couverts de boue et de crottes de rats.

La partie horizontale semblait encore plus étroite. A chaque respiration, son torse et ses épaules touchaient la paroi.

Dieu merci, je suis sous-alimenté !

A reculons, il commença à ramper dans les ténèbres inconnues.

Compte à rebours... 068

Lentement, méthodiquement, se reposant toutes les minutes, il avança (ou plutôt, recula) d'une cinquantaine de mètres dans l'étroit boyau, aussi aveugle qu'une taupe. Sa pénible reptation fut soudain interrompue par un fracas assourdissant, accompagné d'un éclair jaune et suivi d'un souffle d'air chaud et puant qui s'engouffra en grondant dans le conduit. Le réservoir de fuel avait explosé.

Le visage couvert de sueur, Richards redoubla d'efforts. Il n'avait aucune envie d'étouffer ou de frire ici – au choix. Conduisant la chaleur comme la queue d'une poêle, les parois du tuyau devenaient de plus en plus chaudes. L'air épais avait une écœurante odeur de pétrole.

S'aidant des coudes et des genoux, il continua à avancer comme un crabe, sans même savoir ce qu'il y avait derrière lui. Il commençait à avoir mal à la tête, et sentait comme des coups de poignard dans les yeux. Poussé par l'énergie du désespoir, il ne s'accordait pas un instant de répit.

Soudain, ses pieds se retrouvèrent dans le vide. Il essaya de regarder par-dessus son épaule, mais il faisait trop sombre pour y voir quoi que ce soit. De toute façon, il n'avait pas le choix.

Il avança encore un peu, puis plia les genoux et étouffa un cri de surprise lorsque ses pieds s'enfoncèrent dans une eau qui lui parut glaciale après la chaleur du tuyau.

Le nouveau conduit était beaucoup plus large. Richards pouvait presque s'y tenir debout. L'eau épaisse et puante coulait paresseusement ; elle n'arrivait pas plus haut que ses chevilles. Il regarda dans le tuyau d'où il venait. Même d'ici, on distinguait une lueur orangée : l'incendie devait être gigantesque.

Il fit un rapide bilan de la situation et parvint à regret à la conclusion que les autres continueraient à agir comme s'il n'avait *pas* brûlé vif dans le sous-sol. Il était toutefois probable qu'ils ne découvriraient pas l'itinéraire qu'il avait suivi tant que l'incendie ne serait pas maîtrisé. Probable, mais pas certain. Après tout, ils avaient bien retrouvé sa trace à Boston.

Peut-être pas. Après tout, qu'as-tu réellement vu ?

Oh si ! c'étaient eux. Les Chasseurs. Leur aura maléfique ne trompait pas. Il l'avait nettement perçue, de la fenêtre du cinquième étage.

Un rat passa en nageant.

Richards le suivit, dans la direction où l'eau s'écoulait.

Compte à rebours... 067

Richards s'arrêta au pied de l'échelle, stupéfait de voir de la lumière. Aucun bruit de circulation, heureusement, mais il ne comprenait pas qu'il fît encore jour. Dans le noir, n'entendant que le clapotis de l'eau, il avait l'impression d'avoir marché pendant des heures et des heures.

Pourtant, un rai de lumière encore vive venait du couvercle de la bouche d'égout, à quatre ou cinq mètres au-dessus de lui, projetant un étroit rectangle de clarté sur son visage. En levant la tête, il aurait pu voir le ciel.

Il n'entendit passer aucun air-car. De temps à autre, un véhicule terrestre. Une fois, aussi, une dizaine de Honda passèrent en rugissant. Plus par chance que par quelque miraculeux sens de l'orientation, il se retrouvait probablement dans les quartiers populaires, parmi les siens.

Il était tout de même préférable d'attendre la nuit. Pour passer le temps, Richards sortit la caméra de la poche de sa veste, inséra une cassette et filma son torse en gros plan. Il savait que la caméra hyper-sensible réagissait à la moindre lumière, et voulait éviter de trahir le lieu où il se trouvait. Pas de gags, cette fois. Il était trop fatigué.

Richards rangea la cassette avec celle qu'il avait enregistrée au Y.M.C.A. Il était presque certain qu'ils retrouvaient sa trace grâce aux cassettes. Malgré toutes les assurances données par les pontes du Libertel. Il devait y avoir moyen d'éviter ça. Il fallait y réfléchir sérieusement.

Il s'assit sur le troisième barreau de l'échelle et attendit stoïquement. Il courait depuis près de trente heures.

Compte à rebours... 066

A demi caché par l'angle d'une maison, le gosse, un petit Noir de sept ans, observait les environs, une cigarette aux lèvres.

Dans la rue vide et immobile, il avait soudain vu un mouvement. Une ombre changeant de place. De nouveau ce mouvement. Le couvercle de la bouche d'égout ! Il le vit se soulever, puis retomber de côté avec un bruit sourd. Quelque chose brilla – des yeux ?

Quelqu'un (si c'était vraiment un être humain) sortait des égouts. Peut-être le diable, qui venait chercher Cassie. Sa maman disait que Cassie allait monter au ciel, avec Dicky et les autres anges. Mais le petit Noir n'en croyait pas un mot. Il savait qu'après la mort, on allait en enfer et que le diable vous piquait le derrière avec une grande fourche. Il avait vu une image du diable dans un livre que Bradley avait fauché à la bibliothèque municipale de Boston. Le ciel, c'était pour les types qui se droguaient au Push.

« Ça pourrait bien être le diable », se dit-il en voyant Richards sortir la tête et les épaules, puis rester un moment accoudé pour reprendre son souffle. Il n'avait pas de cornes, et n'était pas tout rouge comme dans le livre, mais il n'avait pas l'air rassurant.

L'être remit le couvercle en place et – mince alors ! – se mit à courir dans sa direction.

Le gamin prit ses jambes à son cou et s'étala au bout de deux pas. Il se relevait le plus vite possible, perdant une partie du contenu de ses poches, lorsque le diable l'empoigna par le col de sa chemise.

– Pas avec la fourche ! cria le gamin d'une voix étranglée. Me piquez pas avec la fourche !

– Chut ! Veux-tu te taire !

Le diable le secoua vivement et le gamin se tut, claquant des dents. Le diable regarda autour de lui. Ses yeux agrandis par la peur lui donnaient une expression comique. Il lui rappelait les personnages si marrants de *Nagez avec les crocodiles*. S'il n'avait pas eu lui-même si peur, il aurait éclaté de rire.

– Vous z-êtes pas le diable, lui murmura-t-il.

– Peut-être pas. Mais si tu cries encore, tu verras que je peux devenir très méchant.

– Je crierai pas ! protesta le gamin avec mépris. Pour qui vous me prenez ? J'ai pas envie de me faire couper les couilles, moi ! Je suis même pas assez grand pour bander.

– Tu connais un endroit tranquille où on pourrait aller ?

– Mais me tuez pas, hein ? J'ai rien à voler, rien du tout.

Le gosse lui lança un regard effrayé.

– Je ne vais pas te tuer.

Le tenant par la main, le petit Noir l'entraîna dans un dédale de ruelles et d'allées jonchées de débris divers. Ils arrivèrent à une cabane en brique et en planches, adossée au soubassement d'un misérable immeuble locatif. Le seuil était si bas que Richards se cogna le front en entrant. Le gamin tendit aussitôt un bout de tissu noir devant l'ouverture. Un moment plus tard, une lumière jaunâtre perça l'obscurité. Le gosse avait branché une petite ampoule électrique sur un vieil accumulateur tout craquelé.

– C'est moi qui l'ai fabriqué, annonça le gamin avec fierté. Bradley m'a montré comment le réparer. Il a des livres. Et je vous conseille pas de me tuer. Bradley est avec les Eventreurs. Si vous me tuez, il vous fera chier dans vos godasses et vous forcera à le manger.

– Je ne tue personne, dit Richards. En tout cas, pas les petits garçons.

– Je suis pas un petit garçon ! J'ai réparé la batterie tout seul !

Devant l'expression outrée du gamin, Richards ne put s'empêcher de sourire.

– D'accord, d'accord. Comment t'appelles-tu ?

– Stacey.

– Bien, Stacey. Ecoute-moi. Je suis en cavale. Tu me crois ?

– Y a des chances. Vous êtes pas sorti des égouts pour acheter des cartes postales cochon, pour sûr ! (Il regarda Richards d'un air songeur.) Vous seriez pas un Mex, par hasard ? Difficile à dire, avec toute cette crasse...

– Stacey, je... (Il s'interrompit. Lorsqu'il reprit la parole, il semblait se parler à lui-même :) Il faut bien que je fasse confiance à quelqu'un, et voilà que je tombe sur un môme. Un *môme*. Tu ne dois même pas avoir six ans, pas vrai ?

Le petit Noir se rebiffa aussitôt.

– Je vais avoir huit ans en mai ! (Il ajouta :) Ma sœur Cassie a le cancer. Elle crie beaucoup. C'est pour ça que j'aime mieux venir ici. Vous voulez un joint, m'sieur ?

– Non. Et tu ne devrais pas en fumer non plus. Tu veux gagner deux dollars, Stacey ?

– Et comment ! (Son regard se fit méfiant.) Vous

vous moquez de moi ! On sort pas des égouts avec des dollars plein les poches !

Richards sortit un billet d'un nouveau dollar et le lui donna. Le gosse le regarda avec une stupéfaction mêlée d'épouvante.

– Tu en auras un autre si tu vas chercher ton frère. Je te le donnerai en cachette pour qu'il ne le voie pas. N'amène personne d'autre. Rien que Bradley.

– Mais essayez pas de le tuer, hein ! Il vous fera chier...

– Dans mes godasses, je sais. Cours vite le chercher. Attends qu'il soit seul.

– Trois dollars.

– Non.

– Il m'en faut trois, insista-t-il. Pour trois dollars, je peux acheter au drug un médicament pour Cassie. Avec ça, elle crie moins.

Le visage de l'homme fit soudain un drôle de mouvement, comme si quelqu'un que Stacey ne pouvait pas voir lui avait flanqué un coup de poing au menton.

– D'accord, trois dollars.

– *Nouveaux* dollars, insista le gamin.

– Oui, nom d'un chien, *oui* ! Mais si tu amènes les flics, tu n'auras rien du tout.

Le gosse, qui était déjà à moitié dehors, se retourna.

– Si vous croyez ça, vous êtes bien con. Je peux pas les voir, ces sales poulets. Ils me font encore plus peur que le diable.

Le rideau retomba sur ce gosse de sept ans qui tenait la vie de Richards entre ses mains crasseuses et abîmées. Mais Richards était trop fatigué pour avoir réellement peur. Il éteignit la lampe, s'adossa au mur du fond, et se mit à somnoler.

Compte à rebours... 065

Il faisait un rêve confus, dans un lieu sans lumière rempli de bruits sinistres. Le rêve se transforma soudain en cauchemar lorsqu'un énorme chien policier, véritable bombe organique, se jeta vivement sur lui. La peur le réveilla ; il revint complètement à la réalité en entendant la voix de Stacey :

– S'il a cassé ma lampe, je vais...

Un « chut » impérieux le fit taire. Au moment même où le rideau se soulevait, Richards ralluma la lampe. Stacey et un autre Noir lui faisaient face. Le nouveau venu pouvait avoir dans les dix-huit ans. Il portait un blouson de motard. Il regardait Richards avec un mélange de haine et d'intérêt.

Un couteau à cran d'arrêt apparut dans sa main.

– Si vous avez une arme, lâchez-la.

– Je ne suis pas armé.

– Je te crois pas. Tu vas... (Il s'interrompit soudain, en ouvrant de gros yeux.) Merde alors ! Vous êtes le gars qu'on a vu au Libertel ! C'est vous qui avez fait sauter le Y.M.C.A. de Huntington Avenue... Ils ont dit que vous aviez fait cramer cinq flics. Ça veut dire qu'y en avait au moins quinze.

– Je l'ai vu sortir de la bouche d'égout, intervint Stacey, faisant l'important. J'ai tout de suite vu que c'était pas le diable. Il a dit qu'il était en cavale. Tu vas le suriner, Brad ?

– Tais-toi et laisse les hommes causer.

Bradley entra complètement et s'assit face à Richards sur un cageot retourné. En baissant les yeux, il s'aperçut qu'il tenait toujours le couteau à la main, et parut surpris de le voir. Il le referma et l'empocha, puis regarda longuement Richards.

— Ben mon gars, dit-il enfin, on peut dire que t'es l'homme le plus recherché de la planète.
— Pas de doute, approuva Richards.
— Qu'est-ce que tu comptes faire ?
— Aucune idée. Mais il faut que je sorte de Boston.
Bradley réfléchit un moment en silence.
— Viens à la maison avec Staccy. On pourra causer mieux qu'ici. Trop public.
— D'accord, dit Richards, trop las pour se soucier des conséquences.
— On va y aller par-derrière. Les flics sont de sortie ce soir. Maintenant, je sais pourquoi. Suivez-moi, tous les deux.
Dès que Bradley fut sorti, Stacey envoya un bon coup de pied à Richards. Il le regarda sans comprendre, puis se souvint. Il glissa trois nouveaux dollars au gamin, qui les fit aussitôt disparaître dans ses vêtements.

Compte à rebours... 064

La femme paraissait incroyablement vieille. Elle portait une robe de chambre en cotonnade à fleurs ; par une large déchirure sous le bras, l'on voyait un sein pendant et flétri se balancer tandis qu'elle préparait le repas acheté avec les nouveaux dollars de Richards. Ses doigts tachés de nicotine ne cessaient d'éplucher, d'émincer, de couper en dés. Ses pieds, tout aplatis par une vie de station debout, flottaient dans de vastes pantoufles en nylon rose vif. Ses cheveux crépus formaient une pyramide branlante, enserrée d'un filet qui lui retombait sur la nuque. Son visage plus gris que noir était parcouru d'un fantastique réseau de rides et de ridules. Sa bouche édentée tirait sans relâche sur une cigarette et rejetait de petits nuages de fumée bleutée, dont l'odeur âcre se mêlait à des relents de chou bouilli.

Dans la chambre du fond, Cassie toussait et criait, puis restait quelques moments silencieuse. Avec un mélange de colère et de honte, Bradley avait dit à Richards de ne pas faire attention à elle. Ses deux poumons étaient atteints par le cancer, qui gagnait maintenant sa gorge et ses organes abdominaux. Elle avait cinq ans.

Stacey était ressorti.

Pendant qu'il discutait avec Bradley, un parfum intolérablement délicieux de viande, de légumes et de tomates mijotant ensemble chassa peu à peu l'odeur de chou – et fit prendre conscience à Bradley qu'il mourait de faim.

– Je pourrais te dénoncer, mon gars. Je pourrais te tuer et te piquer ce tas de fric. Puis leur remettre le corps : ça ferait mille dollars de plus. Et à moi la belle vie !

– Je ne crois pas que tu me dénonceras, dit Richards. Je sais que moi j'en serais incapable.

– Pourquoi t'as fait ça, de toute façon ? demanda Bradley belliqueusement. Pourquoi tu t'es mis entre leurs pattes ? Pour le fric ?

– Moi aussi, j'ai une petite fille, répondit Richards. Cathy. Elle est plus jeune que Cassie. Elle a une pneumonie. Elle pleure tout le temps, elle aussi. (Bradley ne fit aucun commentaire.) Et elle pourrait guérir. Pas comme... la petite Cassie, là-bas. La pneumonie, c'est grave, mais ça se soigne. A condition de pouvoir payer un docteur et des médicaments. Et c'était le seul moyen de trouver l'argent.

– C'est tout de même toi qui te fais avoir dans l'histoire. Tous les soirs à 6 h 30, la moitié de l'univers t'encule. Quant à ta fille, elle serait mieux à la place de Cassie, dans un monde pareil.

– Je ne crois pas, dit Richards.

– En tout cas, t'es encore plus cinglé que moi. Un jour, j'ai dérouillé un richard ; après ça, il était bon pour l'hosto. Les flics m'ont poursuivi pendant des jours. Mais t'es encore plus cinglé que moi. (Il alluma une cigarette.) Qui sait, tu tiendras peut-être le mois entier. Un milliard dc dollars, tu te rends compte ! Pour transporter ça, il te faudra un foutu train de marchandises !

– Ne dis pas de gros mots, dit la vieille femme en continuant à émincer des carottes.

– Tu as déjà tenu deux jours entiers, continua Bradley. C'est bien parti, pour toi.

– Non. Le jeu est truqué. Tu te souviens de ces machins que j'ai donnés à Stacey pour qu'il aille les poster ? Il faut que j'en envoie deux chaque jour. Autrement, ma prime saute. Je suis sûr qu'ils retrouvent ma trace grâce au cachet de la poste.

– Ça peut s'arranger.

– Comment ?

– T'expliquerai plus tard. Avant tout, faut que tu sortes de Boston. Ça va pas être facile. Les flics sont fous de rage depuis que t'as fait cramer leurs copains au Y.M.C.A. On l'a vu au Libertel. Et aussi quand tu t'étais mis un sac sur la tête. Fumant, ça ! Eh, Man ! ajouta-t-il. Quand c'est qu'on mange ? On crève la dalle !

– Ça vient, ça vient, répondit la vieille femme.

Elle mit un couvercle sur la cocotte où le ragoût mijotait doucement, et gagna à pas lents la chambre de Cassie.

– Je pourrais essayer de trouver une bagnole, dit Richards. J'ai des faux papiers, mais je n'ose pas m'en servir. Je mettrai des lunettes noires et je verrai si j'arrive à sortir de la ville. J'avais pensé aller dans le Vermont, puis passer au Canada.

– Hum, fit Bradley en se levant pour mettre la

table. Il y a des barrages sur toutes les routes. Et les lunettes noires, je te conseille pas : rien de tel pour attirer l'attention. Ils te réduiraient en chair à saucisse avant que t'aies fait dix bornes.

– Alors, je ne sais pas... Si je reste ici, ils vont t'arrêter pour complicité.

Bradley commença à disposer les assiettes.

– Suppose qu'on dégote une tire. T'as du fric. Je suis pas recherché. Je connais un Macaroni qui me vendra une Wint pour trois cents. Un de mes copains pourra la conduire jusqu'à Manchester. Là-bas, ça sera cool, parce qu'ils te croient coincé à Boston. Tu manges aussi, Man ?

Elle revint de la chambre en traînant les pieds.

– Dieu soit loué ! Ta sœur s'est endormie.

– Tant mieux. (Il servit trois portions de ragoût aux gombos et à la viande hachée, puis s'arrêta.) Où est Stacey ?

– Il a dit qu'il allait au drugstore, répondit la vieille femme entre deux bouchées de ragoût. (Elle l'avalait à une vitesse prodigieuse, malgré sa mâchoire édentée.) Acheter des médicaments pour Cassie.

– S'il se fait arrêter, je lui casse la gueule, dit Bradley en s'asseyant.

– Peu de chances, dit Richards. Il a de l'argent.

– On n'a pas besoin de la charité d'un Sudiste comme toi, non ?

Tout en rajoutant du sel dans son assiette, Richards dit en riant :

– Il l'a bien gagné, ce fric. Sans lui, ils m'auraient sans doute déjà pincé.

Pendant un long moment, tous mangèrent sans parler. Richards et Bradley se servirent deux fois ; la vieille femme, trois fois. Pendant qu'ils allumaient des cigarettes, une clef tourna dans la serrure, les faisant sursauter. Ils se détendirent en voyant entrer Stacey, qui paraissait à la fois coupable et tout excité. Il sortit d'un sac en papier marron un flacon qu'il tendit à la vieille femme.

– C'est du bon, dit-il. Le vieux Curry m'a demandé où j'avais trouvé deux dollars soixante-quinze pour payer ça, et je lui ai dit qu'il pouvait chier dans ses godasses...

– Pas de gros mots ou le diable va venir avec sa fourche, dit la vieille femme. Tiens, mange.

Le gamin ouvrit de gros yeux.

– Youpie ! Y a de la viande !

Sans même s'asseoir, il se mit à enfourner sa portion de ragoût.

– Le pharmacien ne risque pas d'alerter la police ? demanda Richards.

– Curry ? Non. Du moment qu'on a de quoi payer. Et il sait que Cassie a besoin de médicaments vraiment actifs.

– Pourquoi parlais-tu d'aller à Manchester ?

– Ah ouais ! Voilà ce que je pense. Le Vermont, c'est très mauvais. Plein de rupins et fliqué à mort. Un copain, Rich Goleon, pourra conduire la Wint à Manchester et la mettre dans un parking automatique. Après, je t'y emmènerai dans une autre tire. (Il écrasa sa cigarette.) Tu te mettras dans le coffre. Ils n'ont des chiens policiers que sur les petites routes. On prendra carrément la 495.

– Dangereux pour toi, non ?

– Oh, je le ferai pas pour des prunes. Faut bien soigner Cassie.

– Dieu soit loué ! intervint la vieille femme.

– Dangereux quand même.

– Mon frère a pas peur des cognes, dit Stacey, le regard brillant de fierté.

– Tais-toi, minus. C'est haut comme trois pommes et ça se branle même pas encore, mais ça a toujours son mot à dire !

– S'ils nous repèrent, insista Richards, ils te mettront à l'ombre pour longtemps. Qui s'occupera du gosse ?

– Stacey et Man s'en tireront, te fais pas de bile. Comme il se défonce pas, il se débrouillera toujours. Tu te drogues pas, dis ?

Stacey secoua énergiquement la tête.

– Il sait que si je trouve des traces de piqûres sur ses bras, je lui passerai un savon dont il se souviendra longtemps. Pas vrai, Stace ?

Le gosse inclina gravement la tête.

– De toute façon, on a besoin du fric. Et puis, j'suis assez grand pour savoir ce que je fais.

Richards termina sa cigarette en silence pendant que Bradley allait porter le médicament à Cassie.

Compte à rebours... 063

Lorsqu'il se réveilla, il faisait encore nuit ; selon son horloge interne, il devait être dans les 4 h30. Cassie s'était mise à crier et Bradley s'était levé. Ils dormaient tous trois dans une petite chambre pleine de courants d'air : Bradley dans l'unique lit étroit ; Richards et Stacey par terre. La vieille femme dormait avec la petite malade.

Richards entendit Bradley sortir de l'autre chambre, puis le bruit d'une cuiller tombant dans l'évier. Les cris de Cassie s'espacèrent, se changèrent en gémissements. Richards sentait que Bradley attendait, immobile dans la cuisine, qu'elle se calme complètement. Peu après, il revint, lâcha un pet et s'allongea sur le lit grinçant.

– Bradley ?

– Quoi ?

– Stacey dit qu'elle n'a que cinq ans. C'est vrai ?

– Oui.

– Une môme de cinq ans qui meurt d'un cancer du poumon ? De leucémie, peut-être. Mais attraper ça à cet âge ?

Bradley eut un ricanement amer.

– Tu es de Harding, n'est-ce pas ? Quel est le degré de pollution atmosphérique, là-bas ?

Bradley s'exprimait soudain dans une langue si correcte, sans accent ni argotismes, que c'en était irréel.

– Aucune idée. Ça fait des années qu'ils ne le donnent plus avec le bulletin météo.

– A Boston, ils ne le donnent plus depuis 2020, répondit Bradley dans un murmure. Ils ont trop peur. Tu portes un filtre nasal ?

– Tu veux rire ? Même en solde, ça coûte au moins deux cents dollars. Je n'ai pas vu autant d'argent de toute l'année. Et toi ?

– Moi non plus. (Il se tut un moment.) Stacey en a un. C'est moi qui l'ai fabriqué. Man, Rich Goleon et quelques autres copains en ont aussi.

– Tu te fiches de moi ?

– Pas du tout.

Il se tut de nouveau, se demandant manifestement s'il n'en avait pas déjà trop dit. Puis, il se décida, mais les mots venaient avec difficulté.

– On a lu, nous. Le Libertel, c'est pour les crétins.

Richards répondit par un grognement affirmatif.

– Notre bande, tu sais, c'est surtout des motards qui veulent s'éclater le samedi soir. Mais avec quelques copains, on va régulièrement à la bibliothèque.

– On peut y aller sans carte, à Boston ?

– Non, bien sûr. Pour obtenir une carte, il faut qu'un membre de votre famille ait un revenu annuel garanti d'au moins cinq mille dollars. On a piqué la carte d'un gosse de riche. On y va à tour de rôle. On a un complet correct, qu'on se repasse... Rigole pas, ou je me fâche.

– Je ne ris pas.

– Au début, on ne lisait que des livres sur le sexe. Et puis, quand Cassie est tombée malade, je me suis intéressé à la pollution. Dans la réserve, ils ont tous les livres sur la pollution atmosphérique, sur les divers polluants et sur les moyens de s'en protéger. On a fait faire une clef à l'aide d'une empreinte en cire. Tu savais qu'à Tokyo, tout le monde porte un filtre depuis 2012 ?

– Non.

– Rich et Dink Mohan ont fabriqué un détecteur de pollution. Dink a recopié le schéma sur un livre ; ils l'ont fait avec des boîtes de conserve, des filtres à café et diverses pièces piquées dans des bagnoles. Il marche. On l'a caché au fond d'une cour. En 1978, l'échelle de pollution allait de 1 à 20. Tu comprends ?

– Oui.

– Quand le degré de pollution atteignait 12, les usines et les autres trucs polluants devaient s'arrêter jusqu'à ce que ça s'améliore. C'était une loi fédérale. En 1987, le Nouveau Congrès l'a annulée. (La silhouette allongée sur le lit se dressa sur ses coudes.) Tu connais sûrement un tas de gens qui ont de l'asthme ?

– Bien sûr... Moi aussi, j'en ai un peu. *Ça*, ça vient de l'air, c'est bien connu. Tout le monde sait qu'il vaut mieux ne pas sortir par temps chaud et couvert, quand il n'y a pas de vent...

– L'inversion thermique, oui, dit Bradley gravement.

– Ça arrive surtout en août et septembre, quand l'air est épais comme du sirop. Plein de gens ont de l'asthme à cause de ça. Mais le cancer des poumons...

– Ce dont tu parles, ce n'est pas vraiment de l'asthme. Ça s'appelle de l'emphysème.

– Emphysème ?

Richards retourna le mot dans son esprit. Il était vaguement familier, mais son sens lui échappait.

– Les tissus des poumons deviennent tout gonflés. On a beau respirer, on n'a jamais assez d'air. Tu connais des gens qui ont ça ?

Oui... Oui, il en connaissait. Beaucoup en mouraient, même.

– Mais ça, ils n'en parlent jamais, dit Bradley comme s'il avait lu les pensées de Richards. Ces temps-ci, le degré de pollution est de 20 à Boston, les bons jours. C'est comme si on fumait quatre paquets par jour rien qu'en respirant. Les mauvais jours, il peut atteindre 42. Plein de vieux n'y résistent pas. Sur le certificat de décès, ils marquent « asthme ». Mais c'est à cause de l'air. Les cheminées des usines vomissent cette saloperie jour et nuit. Et les patrons ne font rien. Au contraire, ça leur plaît. D'ailleurs, ces filtres à deux cents dollars, c'est de la merde. Juste deux petites grilles avec un bout de coton mentholé au milieu. Totalement inefficace. Les filtres sérieux sont fabriqués par General Atomics. Mais seuls les riches peuvent se les payer. Ils nous ont donné le Libertel pour que le peuple crève tranquillement, sans faire d'histoires. Tu me crois, hein ? Et le prix minimum d'un filtre G-A, c'est six mille dollars. Nouveaux. En m'aidant de ce bouquin, j'en ai fabriqué un pour Stacey. Il nous est revenu à dix dollars. Avec une pile atomique pas plus grosse qu'une tête d'allumette. On l'a prise dans une prothèse auditive achetée sept dollars dans une solderie. Pas mal, non ?

Richards était trop stupéfait pour dire un seul mot.

– Quand Cassie va mourir, tu crois qu'ils marqueront « cancer » sur le certificat de décès ? Non ! Ils mettront « asthme ». Ça pourrait faire peur aux gens. Quelqu'un pourrait se procurer une carte pour la bibliothèque, et découvrir que le cancer du poumon a augmenté de sept cents pour cent depuis 2015 !

– C'est vrai, tout ce que tu me racontes ? Ou bien c'est des trucs que tu imagines ?

– Je l'ai lu dans un livre de médecine. Ils font tout pour nous tuer, mon vieux. Le Libertel nous tue. Pendant qu'on regarde leurs tours de passe-passe, on est aveugle au reste. (Après un silence, il ajouta rêveusement :) Il m'arrive de penser que je pourrais faire sauter tout le système si on me donnait dix minutes de temps de parole au Libertel. Leur expliquer. Leur montrer ce qui se passe vraiment. Tout le monde pourrait avoir un filtre, si le Réseau le voulait.

– Et je les aide, dit Richards en hochant tristement la tête.

– Ce n'est pas de ta faute. Tu luttes pour ta peau.

Richards revit soudain les visages de Killian et de Arthur M. Burns. Il aurait voulu les tuer, les écraser, leur marcher dessus. Mieux, leur arracher leur filtre nasal et les lâcher dans la rue.

– Les gens sont en rogne, reprit Bradley. Depuis au moins trente ans, ils haïssent le Réseau. Il ne faudrait pas grand-chose pour qu'ils passent à l'action. Un rien suffirait... quelques mots... une vraie raison... une vraie...

Bradley le répétait encore lorsque Richards s'endormit.

Compte à rebours... 062

Richards resta toute la journée dans l'appartement, pendant que Bradley s'occupait de l'achat de la voiture et se mettait d'accord avec le copain qui devait amener celle-ci à Manchester.

Il revint à 6 heures, avec Stacey, et alluma aussitôt le Libertel.

– Tout est réglé. On part ce soir.
– Tout de suite ?
Bradley eut un sourire sans joie.
– Tu veux pas te voir sur l'écran ?
Richards s'aperçut qu'il en mourait d'envie. Lorsque la pub fit place au générique de *La Grande Traque*, il se pencha en avant, les yeux rivés sur l'écran.
Debout sur un podium vivement éclairé, au milieu d'une mer de ténèbres, Bobby Thompson fit face à la caméra.
– Regardez bien, commença-t-il. Voici un des loups qui sont lâchés parmi vous.
Un gros plan du visage de Richards apparut sur l'écran. Au bout d'un moment, il fut remplacé par une seconde photo de Richards, sous l'aspect de John Griffen Springer.
Fondu-enchaîné sur Thompson.
– Aujourd'hui, dit-il d'une voix sépulcrale, je m'adresse tout particulièrement aux habitants de Boston. Hier soir, cinq policiers ont connu une mort atroce, brûlés vifs dans le sous-sol du Y.M.C.A. de Boston, où ce loup sanguinaire leur avait tendu un piège. Où est-il maintenant ? Et sous quel déguisement ? Regardez ! Regardez-le !
L'image de Thompson fit place au premier des deux clips que Richards avait tournés dans la matinée. Stacey était allé les poster à l'autre bout de la ville. Richards avait recouvert la fenêtre et les meubles de draps, et avait demandé à la vieille femme de tenir la caméra.
– Vous tous qui me regardez, disait lentement l'image de Richards. Pas les technicos, ni les richards qui habitent des duplex. Ces salopards, je ne leur parle pas. Mais vous, les gens des lotissements et des H.L.M., vous les motards, vous les chômeurs ! Vous, les gosses qui se font arrêter pour de la came qu'ils n'ont même pas de quoi acheter, et pour des crimes qu'ils n'ont pas

commis, parce que le Réseau veut vous empêcher de vous réunir et de parler. A vous tous, je veux parler d'une monstrueuse conspiration pour vous priver du souffle même de la...

La bande-son se fondit en une succession de gargouillis et de sifflements, comme si elle défilait en accéléré, puis fut coupée. Richards continuait à bouger les lèvres, mais aucun son ne sortait de sa bouche.

La voix de Thompson prit la relève :

– Nous avons apparemment des problèmes avec la sono. Mais nous avons suffisamment entendu ce maniaque meurtrier pour savoir à qui nous avons affaire, n'est-ce pas ?

– *Oui !* rugit le public.

– Que faut-il faire si vous le voyez dans *votre* rue ?

– LE DÉNONCER !

– Et lorsque nous aurons mis la main sur lui ?

– LE TUER !

Richards tapa rageusement des poings sur les accoudoirs du vieux fauteuil où il était assis dans le living-cuisine du petit appartement.

– Les salauds, dit-il avec découragement.

– Tu croyais qu'ils allaient diffuser ça ? dit Bradley sur un ton moqueur. Je suis surpris qu'ils t'en aient laissé dire autant.

– Les salauds, se contenta de répéter Richards.

Le premier clip céda la place au second. Cette fois, Richards avait demandé aux spectateurs de prendre les bibliothèques d'assaut ou d'exiger des cartes, et de découvrir la vérité. Il leur avait lu une liste de livres traitant de la pollution de l'air et de l'eau, que Bradley lui avait donnée.

Sur l'écran, Richards ouvrit la bouche et commença à parler, mais les mots n'étaient pas ceux que formaient ses lèvres.

– Allez tous vous faire foutre ! criait-il. A mort les

flics ! A mort la Commission des Jeux ! Si je vois un flic, son compte est bon. Je vais tous les...

Et cela continuait sur le même ton. Richards avait envie de se boucher les oreilles et de s'enfuir. C'était soit une doublure, soit une voix synthétique – impossible à dire.

Le clip terminé, l'écran se divisa en deux : à gauche, un gros plan de Richards ; à droite, Thompson.

– Vous voyez cet homme, dit ce dernier. Il est prêt à tuer. Il est prêt à mobiliser une armée de mécontents pour une orgie de destructions, de meurtres, de viols, d'attaques contre les institutions. Il est prêt à mentir, à tromper, à tuer. Tout cela, il l'a déjà fait.

Thompson prit un ton de prédicateur habité d'une vertueuse colère :

– Benjamin Richards ! Nous regardez-vous, en ce moment ? Vous avez touché le prix du sang. Cent dollars par heure – et il y a exactement cinquante-quatre heures que vous fuyez. Plus cinq cents dollars. Cent pour chacun de ces hommes.

Les visages de cinq jeunes policiers défilèrent sur l'écran. Les visages lisses, ardents, et en même temps terriblement vulnérables. Un clairon se mit à jouer en sourdine.

– Et maintenant... (la voix de Thompson se brisa)... voici leurs familles.

Des photos de femmes jeunes et apparemment heureuses, d'enfants fixant l'objectif avec des sourires forcés. Beaucoup d'enfants. Richards sentit le dégoût et la nausée l'envahir. Il baissa la tête et se mordit le poing.

La main chaude et musclée de Bradley lui serra l'épaule.

– Allons, mon vieux, allons. Tout ça, c'est du chiqué. C'était sûrement une bande de vieux boucs desséchés...

– Tais-toi, dit Richards. Pour l'amour du ciel, tais-toi.

– Cinq cents dollars, répétait la voix de Thompson, lourde de haine et de mépris.

Le visage de Richards emplit de nouveau l'écran, vide de toute émotion – mais son regard habilement retouché paraissait dur et sanguinaire.

– Cinq policiers, leurs cinq épouses et leurs dix-neuf enfants. Cela représente à peu près dix-sept dollars et vingt-cinq *cents* pour chacun des morts et de ces survivants désespérés qui portent le deuil de leur chef de famille. Vous travaillez pour pas cher, Ben Richards ! Même Judas a touché trente deniers d'argent, mais vous vous contentez de moins. En ce moment même, quelque part, une maman explique à son petit garçon que papa ne reviendra plus jamais, parce qu'un homme désespéré et avide...

– Assassin ! sanglotait une femme. Horrible et lâche assassin ! Dieu vous punira ! Tuez-le !

– Tuez-le ! reprit le public en chœur. Regardez le meurtrier ! Il a touché le prix du sang ! Mais l'homme qui vit par la violence périra par la violence. Unissons-nous tous pour abattre Ben Richards !

Les voix montaient vers l'aigu, dans un paroxysme de haine et de peur. Non, s'ils le voyaient, ils ne le dénonceraient pas. Ils le lyncheraient sur place.

Bradley éteignit le Libertel et lui fit face.

– Voilà contre quoi tu luttes, mon gars. Qu'est-ce que tu en dis ?

– J'arriverai peut-être à les tuer, dit Richards d'une voix étonnamment calme. Peut-être, avant la fin, je monterai au quatre-vingt-dixième étage du Building des Jeux pour dénicher l'ordure qui a écrit ça. Si je peux, je les tuerai tous.

– Arrête ! s'écria soudain Stacey. Ne parle plus de ça ! Tais-toi !

Dans la pièce du fond, Cassie dormait de son sommeil drogué en attendant la mort.

Compte à rebours... 061

Bradley n'avait pas osé percer des trous dans le coffre ; il s'était contenté de décoller un peu le joint. Richards se roula en boule, cherchant la meilleure position pour profiter au maximum du faible courant d'air.

Bradley lui avait dit que le trajet durerait au moins une heure et demie, avec deux barrages de police, peut-être davantage. Avant de fermer le coffre, il lui avait donné un gros revolver.

– Ils fouillent entièrement une voiture sur dix ou douze. Il y a donc de bonnes chances pour que ça se passe bien. Mais si on tombe sur le mauvais numéro, tu pourras au moins canarder du poulet.

La voiture s'éleva légèrement sur son coussin d'air, puis démarra brutalement, projetant Richards contre la cloison. Après avoir longuement tangué dans les rues défoncées du centre, elle s'engagea dans une artère où il y avait beaucoup de circulation, s'arrêtant souvent à des feux rouges.

Richards bougeait le moins possible, tenant le revolver avec précaution. Il se souvenait encore du choc qu'il avait ressenti en voyant Bradley arriver, vêtu *du* costume de sa bande. Veston croisé, pantalons à revers, le tout aussi sobre et gris que les murs d'une banque. Sans oublier une chemise à fines rayures et une cravate marron. Il portait même un petit insigne en or de la N.A.A.C.P. (1). Il était méconnaissable.

– Quelle élégance ! lui avait dit Richards admirativement. Ça change de ton blouson de motard.

– Dieu soit loué ! avait commenté Man.

(1) Association pour l'Avancement des Gens de Couleur. *(N.d.T.)*

– Je pensais que ça te plairait, mon cher. Je suis directeur régional de *Raygon Chemicals*, tu sais. Les affaires marchent à Boston. Une ville super-sympa !

Stacey avait pouffé de rire.

– La ferme, petit négro. Sans ça, je te fais chier dans tes godasses et je t'oblige à le bouffer.

– T'es trop rigolo comme ça, avait rétorqué Stacey, nullement intimidé. Je peux pas m'en empêcher.

La voiture s'engageait sur une rampe montant en spirale : la 495 ou une des voies d'accès. Richards avait déjà des fourmis dans les jambes. Sans importance.

Une voiture sur dix ou douze. Il y a de bonnes chances pour que ça se passe bien.

La voiture s'éleva un peu plus et commença à accélérer. Elle avait à peine pris de la vitesse lorsqu'elle ralentit brusquement. Une voix terriblement proche répétait avec une régularité monotone : *Ralentissez et gagnez la voie de droite... Préparez vos papiers... Ralentissez...*

Ça commençait.

Peut-être fouillaient-ils maintenant un véhicule sur huit ? Sur six ? Ou bien tous ?

La voiture s'immobilisa complètement. Richards agrippa le revolver. Dans le noir, ses yeux bougeaient en tous sens, comme des rats cherchant à sortir d'un piège.

Compte à rebours... 060

– Descendez, s'il vous plaît, dit une voix mécanique et autoritaire. Permis de conduire et papiers de la voiture.

Une portière s'ouvrit. Le moteur ronronnait doucement, maintenant la voiture à quelques centimètres au-dessus du sol.

– ... directeur régional de *Raygon Chemicals*...

Bradley qui faisait son petit numéro. Pourvu qu'il puisse prouver ce qu'il raconte. Pourvu que *Raygon Chemicals* existe vraiment...

La portière s'ouvrit. Quelqu'un se mit à fouiller sous les sièges. Richards avait l'impression que le flic (ou le garde fédéral ?) allait passer la main dans le coffre.

La portière claqua. Des pas contournèrent la voiture. Richards humecta ses lèvres et serra le pistolet plus fort. Il avait des visions de cadavres de policiers : visages angéliques sur des corps porcins grotesquement déformés. Il se demanda si le flic ouvrirait le feu avec sa mitraillette dès qu'il le verrait dans le coffre. Il se demanda si Bradley essaierait de s'enfuir. Il allait pisser dans son pantalon. Il ne s'était pas mouillé depuis qu'il était tout gosse, quand son frère le chatouillait jusqu'à ce qu'il ne puisse plus se retenir. Oui, il tirerait juste au-dessus du nez du flic, projetant un jet de sang et de cervelle vers le ciel. Quelques orphelins de plus. Le petit Jésus m'aime, je le sais, ma vessie me le dit. Seigneur Dieu, qu'est-ce qu'ils fabriquent ? Sheila, je t'aime tant, que pourras-tu faire avec six mille dollars ? Tu les claqueras sans doute en un an, s'ils ne te tuent pas avant pour les piquer. Et après, de nouveau la rue, en balançant les hanches. Eh monsieur, je suis très propre ; dis, petit, tu veux que je te montre... ?

Au passage, une main tapota le coffre. Richards se fit violence pour ne pas crier. La poussière lui chatouillait le nez et la gorge. En biologie, pendant qu'il gravait ses initiales et celles de Sheila sur la table : *L'éternuement est dû à l'action d'un muscle involontaire*. Même si j'éternue, je pourrai toujours tirer – à bout portant, pas besoin de viser...

– Qu'est-ce qu'il y a dans le coffre ?

La voix de Bradley, enjouée et un peu lassée :
– Un vieux cylindre de rechange. La clef est sur le tableau de bord. Attendez, je vais...
– Si je la voulais, je vous la demanderais.
L'autre portière arrière s'ouvrit et se referma.
– Vous pouvez repartir.
– Merci et bonne chance. J'espère que vous l'attraperez.
– Allez, dépêchez-vous.
Les cylindres remontèrent le châssis. La voiture accéléra. Elle ralentit une autre fois, mais reprit aussitôt de la vitesse. Richards se laissait ballotter. Son souffle était court. Il n'avait plus envie d'éternuer.

Compte à rebours... 059

Il avait l'impression que le trajet durait beaucoup plus longtemps qu'une heure et demie. Ils furent arrêtés à deux autres reprises. La première, pour une simple vérification des papiers. La seconde, par un flic à l'accent traînant, qui avait apparemment envie de bavarder. Il expliqua à Bradley que ces putains de motards rouges aidaient sûrement Richards et l'autre type, Laughlin. Laughlin n'avait encore tué personne, mais on racontait qu'il avait violé une femme à Topeka.
Après, il n'y eut plus que le sifflement monotone du vent et les craquements de ses membres ankylosés. Sans s'endormir tout à fait, Richards sombra dans une torpeur hébétée. Heureusement qu'avec les moteurs à air comprimé, il n'y avait plus d'oxyde de carbone.
Des siècles après le dernier barrage, la voiture ralentit et s'engagea sur une rampe de sortie qui n'en finissait pas de tourner. Richards était à deux doigts

de vomir. C'était la première fois de sa vie qu'il souffrait du mal des transports.

Encore des tournants – sans doute un échangeur – et ils accélérèrent de nouveau. Cinq minutes plus tard, les bruits de la ville les entourèrent. Richards essaya plusieurs fois de changer de position, mais cela ne servait à rien. Son bras droit, coincé sous lui, était insensible depuis au moins une heure. Un vrai morceau de bois, froid au toucher.

Ils tournèrent à droite, puis de nouveau à droite, et la voiture descendit une rampe en forte pente. Le cœur de Richards se décrocha. A en juger par l'écho du moteur, ils étaient dans un parking souterrain.

Un soupir de soulagement lui échappa.

– Votre ticket, m'sieur, dit une voix.

– Tiens, mon gars.

– Rampe 5.

– Merci.

La voiture monta une autre rampe, marqua un arrêt, tourna à droite, à gauche, puis s'arrêta et le moteur fut coupé. Fin du voyage.

Un instant de silence presque total. La portière qui s'ouvre et qui se referme. Des pas – ce ne pouvait être que Bradley – qui contournent la voiture. Le bruit de la clef dans la serrure du coffre.

– Tu es là, Ben ?

– Non, je suis descendu au dernier contrôle, croassa Richards avec ce qui lui restait de voix.

– Attends un instant... Personne en vue. Ta voiture est garée juste à côté, sur la droite. Tu pourras sortir en vitesse ?

– J'essaierai.

– Fais ton possible. On y va.

La porte du coffre s'ouvrit, laissant entrer la lumière blafarde du parking. Richards se souleva sur un bras et passa une jambe à l'extérieur. Impossible d'en faire davantage. Ses muscles ne lui obéissaient plus.

Bradley le prit sous les bras et le tira dehors, puis le soutint jusqu'à la voiture, une Wint verte pas mal cabossée. Il ouvrit la portière côté conducteur et le poussa sur le siège. Un moment plus tard, il s'installait à côté de lui.

– Eh bien ! dit-il dans un soupir. On y est arrivé, mon vieux. On y est arrivé !

– Ouais... Et ils me doivent deux cents dollars de plus.

Dans la pénombre de la voiture, on ne voyait guère que l'extrémité incandescente de leurs cigarettes, brillant comme de petits yeux. Ils fumèrent en silence.

Compte à rebours... 058

– On y a presque eu droit, au premier barrage, disait Bradley tandis que Richards se massait les bras pour rétablir la circulation. Le cogne a bien failli ouvrir le coffre.

Comme Richards ne répondait pas, il lui demanda :

– Comment te sens-tu ?

– Un peu mieux. Tu peux sortir le portefeuille de ma poche ? Je ne peux pas lever le bras assez haut.

Bradley eut un geste de dédain.

– Plus tard. Je vais t'expliquer ce que Rich et moi avons combiné.

Richards alluma une nouvelle cigarette au mégot de la précédente. Des crampes fulgurantes traversaient tous ses membres, mais c'était bon signe : la vie revenait.

– On t'a réservé une chambre à l'hôtel Winthrop House, dans la rue du même nom. Ça fait très chic, mais ça l'est pas du tout. Tu t'appelles Ogden Grassner. Tu t'en souviendras ?

– Quelle règle ?

– Si on se serre pas les coudes, on est foutus. Pas la peine d'attendre que l'air pollué nous tue. Autant ouvrir tout de suite le gaz et fermer les fenêtres.

– Ils vont finir par te tuer, dit Richards. Il se trouvera bien quelqu'un pour te dénoncer, et tu te retrouveras les tripes à l'air dans un sous-sol. Ou Stacey. Ou Man.

Les yeux de Bradley lancèrent des éclairs.

– Bientôt, ça ira mal pour ces larves au ventre bourré de rosbif. Leur fin est proche ! J'ai vu du sang dans la lune. Des fusils et des torches. Un mort qui marche et qui parle...

– Ça fait deux mille ans que les gens voient des choses de ce genre.

Un signal sonore annonça la fin des cinq minutes. Richards chercha à tâtons la poignée de la portière.

– Merci. Je ne trouve pas d'autres mots, mais...

– Dépêche-toi avant qu'ils me filent une contredanse. (Une puissante main brune agrippa un instant sa soutane.) Et quand ils te pinceront, ne pars pas seul.

Richards descendit maladroitement et alla ouvrir le coffre. Il en sortit une valise en plastique noir. Bradley lui tendit une canne en faux bambou et démarra sans ajouter un mot.

Richards regarda la voiture s'éloigner. Il vacillait légèrement (cela, il n'avait pas besoin de le feindre) et s'efforçait de prendre un regard de myope. En voyant les feux arrière disparaître au coin de la rue, il ressentit du soulagement. Pas pour lui, mais pour Bradley. *Comme il doit être heureux d'être enfin débarrassé de moi !*

En montant le perron de l'hôtel, Richards buta contre la première marche. Le portier se précipita pour l'aider.

Compte à rebours... 056

Deux jours passèrent.

Richards jouait son rôle à la perfection... comme si sa vie en dépendait. Il dînait dans sa chambre, se levait à 7 heures, lisait sa Bible dans le hall de l'hôtel, puis allait à sa réunion fictive. Le personnel du Winthrop House le traitait avec la cordialité légèrement méprisante réservée aux prêtres peu favorisés par le sort (à condition qu'ils paient leur note) en cette époque de guerre bactériologique en Egypte et en Amérique du Sud, sans oublier la notoire loi sur l'avortement obligatoire adoptée par le Nevada. Le pape était un vieillard de quatre-vingt-seize ans, dont les anathèmes fulminants contre ces événements faisaient les gorges chaudes des commentateurs du Libertel.

Richards tenait ses « réunions » dans une bibliothèque publique où, dans un cabinet de lecture privé qu'il avait loué, il lisait des livres sur la pollution. Il n'y avait guère de renseignements postérieurs à 2002, et le peu qu'il y avait ne collait pas du tout avec ce qui avait été écrit auparavant.

A midi, il allait déjeuner dans un petit self proche de l'hôtel. Lorsqu'il bousculait des passants, ce qui lui arrivait souvent, il s'excusait avec un doux sourire. Quelques-uns lui disaient que ça ne faisait rien, et l'appelaient « mon père ». La plupart le repoussaient en marmonnant des insultes.

Il passait l'après-midi dans sa chambre d'hôtel et dînait en regardant *La Grande Traque*. Il avait déjà posté quatre cassettes sur le chemin de la bibliothèque. Apparemment, le système fonctionnait.

Les réalisateurs avaient adopté une nouvelle tactique pour étouffer le message antipollution de Richards, qu'il ne cessait de répéter avec une frénésie souriante (après tout, les sourds-muets devaient pouvoir lire sur ses lèvres). Ils le noyaient sous les rugissements de la foule, qui devenait de plus en plus hystérique et d'une obscénité effroyable.

Au cours de ces longs après-midi, Richards réfléchissait au changement, pas nécessairement bienvenu, qui s'était opéré en lui depuis qu'il avait rencontré Bradley et la petite Cassie. Il n'était plus un loup solitaire luttant pour lui-même et pour sa famille. Il luttait maintenant pour toutes les victimes de la pollution et d'un système injuste.

Richards n'avait jamais été un homme social. Il avait rejeté avec mépris toutes les causes, tous les engagements. C'était bon pour les riches, pour les gogos, pour ces stupides étudiants avec leurs badges et leurs groupes de néo-rock.

Son père avait disparu dans la nuit alors que Ben n'avait que cinq ans. Il se souvenait à peine de lui. Il ne lui en avait jamais voulu. Il comprenait fort bien qu'un homme ait sa fierté, et qu'il la préfère à des responsabilités qui le privent de son honneur et de sa virilité. Un homme ne peut pas tolérer longtemps que sa femme se prostitue pour faire vivre la famille. Autant se jeter tout de suite par la fenêtre, estimait Richards.

De cinq à seize ans, il vécut d'un tas de petites combines, avec son frère Todd. Leur mère était morte de la syphilis alors qu'il avait dix ans, et Todd, sept. Cinq ans plus tard, Todd avait été tué par une voiture dont les freins avaient lâché alors qu'il faisait le plein d'air, dans une rue en forte pente. La mère et le fils avaicnt abouti au crématoirc municipal. Amcrs ct désabusés, les gosses du quartier savaient qu'un jour, ils finiraient eux aussi en fumée, vomis par les hautes cheminées dans le ciel de la ville.

A seize ans, il s'était retrouvé seul ; après l'école, il

faisait ses huit heures à G-A comme nettoyeur de machines. En dépit de ce travail éreintant, il ressentait durement sa solitude. Parfois, la nuit, il était pris de panique à l'idée qu'il n'avait aucun lien sur cette terre, qu'il allait à la dérive, sans rien pour le retenir.

Alors, il s'était marié. Sheila avait passé la première année dans un silence hautain, pendant que leurs amis (et les ennemis de Richards : il s'en était fait beaucoup par son refus de faire partie d'un gang local) attendaient l'arrivée de l'Utérus-Express. Comme il n'arrivait pas, ils finirent par se lasser et les laissèrent dans cette sorte de no man's land réservé aux nouveaux mariés à Co-Op City. Les amis se firent rares. Cela ne gênait pas Richards, au contraire. Il travaillait avec rage, faisant des heures supplémentaires dès que possible. C'était mal payé, il n'y avait aucune chance de promotion, l'inflation était galopante – mais ils s'aimaient. Et leur amour dura. Pourquoi pas ? Richards était le genre d'homme solitaire capable de donner à la femme de son choix infiniment d'amour et d'affection, avec, sans doute, une bonne dose de domination psychologique. En onze années de mariage, ils n'avaient pas eu une seule dispute digne de ce nom.

Il avait quitté son travail en 2018 parce que ses chances d'avoir un enfant diminuaient à chaque heure passée derrière les anciens et défectueux boucliers antiradiations de General Atomics. Au lieu de raconter un quelconque mensonge au contremaître qui lui demandait avec consternation pourquoi il démissionnait, Richards avait aggravé son cas en lui disant tout ce qu'il pensait de G-A, ajoutant qu'il pouvait se fourrer ses sales machines là où il pensait. Cela s'était terminé par une sanglante bagarre. Le contremaître était un gaillard d'aspect costaud, mais Richards l'avait fait chialer comme un môme.

Il avait été frappé d'ostracisme. Méfiez-vous de ce

type. Il est dangereux. Si vous avez absolument besoin de main-d'œuvre, prenez-le pour une semaine puis flanquez-le dehors.

Les cinq années suivantes, il avait surtout vendu des journaux, mais il y avait de moins en moins de travail. Le Libertel tuait la presse écrite. Richards traînait dans les rues, regardait les annonces, travaillait un jour par-ci, un jour par-là.

Les grands événements de la décennie le laissèrent indifférent. Il ignorait tout du Massacre des Ménagères de 2024, lorsque sa femme lui en parla trois semaines après les faits : deux cents policiers armés de mitraillettes et d'aiguillons de forte puissance avaient repoussé une armée de femmes sur le point de prendre d'assaut les Entrepôts alimentaires du Sud-Ouest. Il y avait eu soixante victimes. Il savait vaguement que les gaz avaient été utilisés dans le Mideast. Mais cela ne l'affectait pas. La révolte ne menait à rien. La violence ne menait à rien. Le monde était ce qu'il était, et Ben Richards le traversait sans rien voir ni entendre, en quête de travail. Il trouva une interminable succession d'emplois temporaires. Il gratta la boue épaisse et visqueuse qui couvrait les quais, alors que d'autres, qui croyaient sincèrement chercher du travail, ne faisaient rien.

Circulez ! Ote-toi de là, morpion ! Pas de travail ! Va te faire voir chez les bougnoules ! Fous le camp ! Circulez !

Le travail se faisait de plus en plus rare. Un jour, il n'y eut plus rien. Un soir, alors qu'il revenait d'une de ses expéditions infructueuses, un richard en combinaison de soie sortant d'une quelconque orgie l'accosta : il lui donnerait dix nouveaux dollars s'il baissait son pantalon pour qu'il puisse vérifier si les clochards avaient réellement des queues de quarante centimètres de long. Richards l'assomma et prit la fuite.

Soudain, au bout de neuf ans, alors que personne n'y croyait plus, Sheila se retrouva enceinte. Il a travaillé pendant six ans à G-A, disaient les gens ; le gosse va être un monstre, un monstre à deux têtes et sans yeux. *Les radiations, les radiations, vos enfants seront des monstres...*

Mais ce fut Cathy, toute ronde, sans un défaut, pleine de vie. Mise au monde par une sage-femme du quartier qui se fit payer cinquante *cents* et quatre boîtes de fayots.

Et maintenant, pour la première fois depuis la mort de son frère, il se retrouvait seul, à la dérive. Sans souci, ou presque : pour le moment, les autres avaient perdu sa trace.

Il repensa avec colère à la Fédération des Jeux, avec ses puissants moyens de communication. Tous ces hommes bien nourris, protégés par leurs filtres, qui sortaient avec des poupées en sous-vêtements de soie. A la guillotine ! Que le couperet tombe, et tombe, et tombe ! Mais ils étaient intouchables, comme le Réseau, comme le monstrueux Building des Jeux qui écrasait tout de sa masse.

Pourtant, parce qu'il était ce qu'il était, et parce que dans sa solitude il était en pleine mutation, il y pensait. Il ne se rendait pas compte qu'en ces moments, il arborait un terrible sourire de carnassier, un sourire capable de faire fondre le bitume et d'ébranler les gratte-ciel. Le même sourire qu'en ce jour presque oublié où il avait assommé un obscène richard et s'était enfui, les poches vides et l'esprit en feu.

Compte à rebours... 055

La journée de lundi ressembla exactement à celle de dimanche (pour les travailleurs, la notion de congé hebdomadaire n'existait plus). Jusqu'à 6 h 30 du soir.

Après avoir commandé un suprême de volaille (la cuisine de l'hôtel, exécrable pour quiconque connaissait autre chose que les hamburgers des fast-foods et les comprimés alimentaires, paraissait délicieuse à Richards) et une bouteille de vin rouge léger, le père Ogden Grassner s'installa pour regarder *La Grande Traque*. La première partie, consacrée à Richards lui-même, n'apporta rien de nouveau. Le son de ses clips était couvert par les vociférations du public. Bobby Thompson était onctueux et virulent. La police procédait à une fouille méthodique de tous les immeubles de Boston. Quiconque abriterait le fugitif serait mis à mort... Richards commençait à trouver tout cela presque amusant. Tant qu'ils ne montraient pas des veuves éplorées et des orphelins.

La seconde partie du programme fut radicalement différente. Cette fois, Thompson arborait un large sourire.

– Après ces derniers enregistrements envoyés par le monstre qui se fait appeler Ben Richards, je suis heureux de vous annoncer une bonne nouvelle...

Ils avaient eu Laughlin.

Vendredi, il avait été aperçu à Topeka, mais les recherches intensives entreprises les deux jours suivants n'avaient rien donné. Richards pensait que Laughlin avait, comme lui-même, réussi à passer à travers les mailles du filet. Hélas, non. Cet après-midi, deux enfants avaient signalé sa présence. Il se cachait dans un vieil abri des Ponts et Chaussées. Au cours de sa fuite, il s'était cassé le poignet.

Les gosses, Bobby et Mary Cowles, souriaient à la caméra, tout contents d'eux. Demain, annonça Thompson, Sonnonneur le gouverneur du Kansas leur remettrait, en direct sur l'antenne, leurs Certificats de Mérite et deux chèques de mille nouveaux dollars, sans oublier la fourniture à vie de céréales pour petit déjeuner *Fun Twinks.* Hourra pour ces citoyens d'honneur de Topeka ! La foule applaudit.

La séquence suivante montrait le cadavre de Laughlin, criblé de balles et baignant dans son sang, que des policiers sortaient d'une cabane à moitié détruite par les tirs. Le public hua le cadavre, puis applaudit les policiers.

Richards se détourna, pris de nausée.

La voix du commentateur semblait venir de très loin. Le corps de Laughlin était exposé devant le parlement du Kansas ; des milliers de citadins faisaient la queue pour le voir. Un policier qui avait participé à la mise à mort expliqua que Laughlin n'avait presque pas offert de résistance.

Richards se souvint de la voix aigre de Laughlin, de son regard railleur.

Une copine de mon club...

Maintenant, il n'y avait plus qu'une seule vedette : Ben Richards. Ben Richards ne termina pas son suprême de volaille.

Compte à rebours... 054

Cette nuit-là, il fit un affreux cauchemar, ce qui était inhabituel. Le vieux Richards ne rêvait jamais.

Fait encore plus curieux, il ne participait pas au

rêve, se cantonnant dans le rôle du spectateur invisible.

Une pièce sombre, aux contours imprécis. Quelque part, un bruit d'eau qui goutte. L'impression d'être à une grande profondeur sous le sol.

Au centre de la pièce, Bradley était attaché à une chaise par des sangles de cuir. Son crâne avait été entièrement rasé, comme celui d'un pénitent. Il était entouré de personnages portant des cagoules noires. « Les Chasseurs », se dit Richards avec épouvante. Les plus redoutables et les plus impitoyables de tous.

– Ce n'est pas moi, disait Bradley.

– Oh si, dit un des personnages avec douceur, en lui enfonçant une longue aiguille dans la joue.

Bradley hurla.

– C'est toi, petit frère ?

– Allez vous faire foutre !

L'aiguille perça sans mal son œil. Une gelée incolore coula ; l'œil de Bradley devint tout flasque.

– Alors, c'est toi ?

– Vous pouvez vous foutre votre aiguille dans le cul !

Un aiguillon électrique toucha le cou de Bradley, qui hurla de nouveau en faisant une grimace grotesque.

– C'est toi, petit frère ?

– Les filtres nasaux donnent le cancer, répondit Bradley. Vous êtes tout pourris à l'intérieur.

L'aiguille perça l'autre œil.

– C'est toi ?

Aveugle, Bradley leur rit au visage.

Un des personnages en cagoule fit un geste. Bobby et Mary Cowles accoururent gaiement. Ils se mirent à tourner autour de Bradley en chantant :

– Qui a peur du gros méchant loup, gros méchant loup, gros méchant loup... ?

Bradley s'agitait désespérément sur son siège, tandis que le chant devenait de plus en plus aigu et crissant. Les enfants changeaient. Peu à peu, leurs têtes s'allongèrent et s'engorgèrent de sang. Ils ouvrirent des bouches énormes, révélant des crocs aiguisés comme des rasoirs.

– Je dirai tout ! hurla Bradley. Ce n'est pas moi ! Je vous dirai tout ! Ce n'est pas moi, c'est Ben Richards ! Ô mon Dieu... ô mon Dieu...

– Où est-il ? Parle.

– Je vais vous le dire ! Je vais vous le dire ! Il est à...

Les voix des enfants couvrirent ses paroles. Bobby et Mary se précipitaient sur son cou tendu par l'effort, lorsque Richards se réveilla, couvert de sueur.

Compte à rebours... 053

Manchester, ce n'était plus bon.

Il se demandait si c'était la nouvelle de la fin brutale de Laughlin ou son cauchemar, ou bien une sorte de prémonition.

Mardi matin, il ne sortit pas pour aller à la bibliothèque. Il avait l'impression que chaque minute passée dans ce lieu invitait une issue fatale. En regardant par la fenêtre, il voyait des cagoules noires dans toutes les voitures, dans tous les taxis. Il croyait entendre des Chasseurs armés jusqu'aux dents arriver à pas de loup dans le couloir. Une énorme pendule égrenait les secondes dans sa tête.

Peu après 11 heures, sa décision était prise. Pas question de rester ici. Il était sûr qu'ils l'avaient retrouvé.

Il prit sa canne et descendit maladroitement dans le hall.

– Vous sortez, père Grassner ? demanda le réceptionniste avec son sourire légèrement méprisant.

– Pas de réunion aujourd'hui, dit Richards, en fixant .l'épaule du réceptionniste. Y a-t-il un cinéma, dans cette ville ?

Il savait qu'il y en avait au moins dix, dont huit passaient des films pervertos.

– Voyons... dit l'employé, réfléchissant. Au *Central*, il y a un programme Disney.

– Ce sera parfait, dit Richards. Parfait.

En gagnant la sortie, il heurta un palmier en pot.

A quelques rues de l'hôtel, il entra dans un drugstore. Il acheta un gros rouleau de gaze et une paire de béquilles en aluminium bon marché, que le vendeur mit dans une longue boîte en fibre. Richards prit un taxi au coin de la rue.

La voiture était exactement au même endroit. Richards ne put détecter aucune surveillance suspecte. Il monta et démarra. Il eut un instant de panique en se souvenant qu'il n'avait aucun permis de conduire utilisable, puis se dit que c'était sans importance. Son nouveau déguisement ne résisterait pas à un examen un peu approfondi. S'il tombait sur un barrage, il essaierait de le forcer. Il se ferait sans doute tuer, mais s'il était identifié, ils le tueraient de toute façon.

Il mit les lunettes d'Ogden Grassner dans la boîte à gants et sortit du parking.

Dans la banlieue nord, il s'arrêta à une station-service pour faire le plein d'air comprimé. Le pompiste, un gosse couvert d'acné géante, évita soigneusement de le regarder. Parfait.

Il suivit un moment la 91, prit la 17, puis s'engagea sur une petite départementale. Cinq kilomètres plus loin, il s'arrêta près d'un bosquet poussiéreux. Se regardant dans le rétroviseur, il enroula la bande autour de sa tête, en serrant le plus possible. Voilà, ça devrait tenir. Un oiseau piaillait sans relâche dans un orme qui paraissait en fort mauvais état.

Pas trop mal. S'il avait un moment à Portland, il s'achèterait une minerve.

Il posa les béquilles à côté de lui et repartit. Quarante minutes plus tard, il arrivait au périphérique de Portsmouth. Tout en guettant la sortie « Portland », il prit dans sa poche le bout de papier que Bradley lui avait laissé, et le déplia. Les caractères étaient soigneusement tracés au crayon, comme le font les autodidactes :

94 State Street, Portland
LA PORTE BLEUE, Chambres d'Hôtes
Elton & Virginia Parrakis

Richards releva les yeux. Un air-car jaune et noir de la police croisait lentement au-dessus de l'autoroute, en tandem avec un véhicule routier blindé. Ils s'attardèrent un moment à sa hauteur, puis s'éloignèrent, zigzaguant avec grâce entre les six files de voitures. Une patrouille de routine.

Pendant que les kilomètres défilaient, il ressentait un soulagement croissant, mêlé d'un indéfinissable regret. Il avait envie de rire et de vomir à la fois.

Compte à rebours... 052

Il atteignit Portland sans incident.

Aux abords de la ville, alors qu'il traversait la banlieue chic de Scarborough (villas opulentes, rues immaculées, écoles privées entourées de clôtures électrifiées), son assurance commença à l'abandonner. Ils pouvaient être n'importe où. Partout. Ou nulle part.

State Street se trouvait dans un quartier jadis respectable, aux immeubles solides mais décrépis, près d'un parc qui était devenu une vraie jungle – rendez-vous, sans nul doute, des amoureux, des drogués et des mauvais garçons. Un quartier où l'on ne devait sortir la nuit qu'avec un chien policier en laisse, ou bien en bande.

Le 94 était une maison à la façade noircie, avec des volets à l'ancienne mode aux fenêtres. Il se gara à proximité et examina les environs.

La rue était pleine de voitures abandonnées, carcasses rouillées vidées de leur contenu comme des poissons étripés. En bordure du parc, une Studebacker reposait sur le côté, pareille à un chien crevé. La police évitait manifestement les parages. Pas question de laisser sa voiture ici. Dix minutes après, on verrait arriver une bande de petits morveux. Après avoir tourné autour pendant un moment, ils s'adosseraient à la carrosserie, en sifflotant d'un air dégagé. Encore dix minutes de plus, et deux ou trois d'entre eux sortiraient de leurs poches des tournevis, des pieds-de-biche et une ou deux clefs à écrous. Au bout d'une heure, il ne resterait que la carcasse ; tout le reste serait envolé, des sphères pneumatiques aux essuie-glace et au volant.

Alors qu'il prenait ses béquilles en se retenant au toit de la Wint, un gosse arriva en courant. Tout un côté de son visage était défiguré par d'horribles cicatrices de brûlures.

– Du Scag, m'sieur ? C'est de la super came. Vous enverra sur la lune !

Il pouffa de rire, faisant tressauter de façon grotesque les bourrelets de chair luisants de sa joue abîmée.

– Fous le camp, lui dit Richards sèchement.

Le gosse essaya de faire tomber une de ses béquilles. Oubliant un instant son rôle, Richards leva prestement l'autre et lui assena un bon coup sur les fesses. Le gosse s'enfuit en criant des obscénités.

Il monta lentement les trois marches du perron et examina la porte. En y regardant de près, il restait effectivement quelques traces de peinture bleue. Il y avait eu une sonnette, mais un vandale l'avait arrachée. On voyait encore les fils.

Richards frappa et attendit. Rien. Il frappa de nouveau.

L'après-midi tirait à sa fin. Un vent froid s'engouffrait dans la rue. Dans le parc, les branches dénudées d'octobre s'entrechoquaient avec un bruit nostalgique.

Il n'y avait personne. Inutile de s'attarder. Il frappa pourtant une dernière fois, inexplicablement certain qu'il y *avait* quelqu'un.

Cette fois, il fut récompensé par un bruit de chaussons traînant sur le carrelage. Les pas s'arrêtèrent. Une pause.

– Qui est là ? demanda une voix androgyne. Je n'achète rien. Allez-vous-en.

– On m'a dit de venir chez vous.

Un judas s'ouvrit en grinçant et un œil marron apparut. Le judas se referma avec un bruit sec.

– Je ne vous connais pas.

Le ton était sans réplique.

– On m'a dit de demander Elton Parrakis, insista Richards.

– Ah. (Il crut détecter du regret dans la voix.) Vous êtes un de ceux-là...

Il entendit un bruit de chaînes. Plusieurs verrous furent poussés successivement. Des clefs tournèrent dans des serrures Yale bien huilées. Finalement, le bruit sec, pareil à une détonation, d'un assommoir que l'on désamorce.

La porte s'ouvrit. Richards se trouva face à une femme maigre et sèche, sans poitrine, avec d'énormes mains noueuses. Son visage, curieusement dénué de rides, portait néanmoins les traces d'un long combat contre le temps. Le temps gagnait, sans doute, mais elle était coriace. Même en pantoufles, elle devait faire un mètre quatre-vingts. Ses genoux étaient tout déformés par l'arthrite. Ses cheveux étaient enveloppés d'une serviette de bain enroulée en turban. Sous les épais sourcils, qui semblaient s'accrocher désespérément au fond d'un précipice, le regard des yeux marron était intelligent, avec une pointe de fureur ou peut-être de peur. Par la suite, il comprit qu'elle était simplement embrouillée, craintive, peut-être au bord de la folie.

– Je suis Virginia Parrakis. La mère d'Elton. Entrez.

Compte à rebours... 051

La maison était sombre, mal entretenue, meublée de bric et de broc. Richards reconnut instantanément son propre environnement. Les mêmes objets fabriqués en série et achetés au rabais, vite cassés et jamais réparés.

Dans la cuisine, tout en surveillant la bouilloire en aluminium, elle lui dit :

– Elton n'est pas là. *Il* travaille.

En mettant l'accent sur le « il » elle faisait de cette simple constatation une accusation.

Ici, la lumière plus vive révélait le papier peint taché d'humidité, les mouches de l'été dernier écrasées sur les vitres, le linoléum craquelé, le seau en plastique sous l'évier. Une odeur de désinfectant régnait, comme dans une chambre de malade.

Les doigts boursouflés fouillèrent dans un tiroir débordant d'objets divers et en tirèrent deux sachets de thé, dont un avait déjà servi. Richards eut droit à ce dernier. Cela ne le surprit pas.

– Vous venez de la part de ce type de Boston ? Celui qui s'occupe de pollution ?

– Oui, madame Parrakis.

– Ils se sont rencontrés à Boston. Elton est responsable de l'entretien de distributeurs automatiques.

Prenant un air avantageux, elle franchit précautionneusement les dunes de linoléum qui la séparaient de la gazinière.

– J'ai dit à Eltie que les activités de Bradley étaient illégales. Que ça pourrait les mener en prison, ou pire. Mais il n'écoute pas sa vieille maman. Non, non. (Elle eut un sourire affligé.) Elton est très habile de ses mains, vous savez. Il avait construit une grande cabane dans un arbre. Un orme, c'était, mais ils l'ont abattu. Ce Noir a eu l'idée de fabriquer des indicateurs de pollution. Il lui a dit d'en mettre un à Portland.

Elle mit les sachets dans les tasses et resta près de la gazinière, se chauffant les mains au-dessus de la flamme.

– Ils s'écrivent tout le temps. Je lui ai dit que le courrier n'était pas sûr. Je lui ai dit que ça allait le mener en prison. Ou pire. Il m'a répondu qu'ils écrivaient en code ! Il me demande des pommes. Je lui dis que mon oncle va plus mal. Je lui dis, Eltie, tu t'imagines qu'ils ne sont pas capables de le déchiffrer ? Cesse de jouer à l'espion. Il ne m'écoute pas. Dans le temps, si, il m'écoutait. Il avait confiance, on était amis. Depuis la puberté (elle prononçait : pouberté), il a complètement changé. Il cache des magazines cochons sous son oreiller, et tout *ça*. Et puis il s'est acoquiné avec ce nègre. Je suppose que vous vous êtes fait prendre à tester la pollution ou des cancérigènes, et que vous êtes en fuite ?

– Je...

– Peu importe, d'ailleurs !

Se redressant avec morgue, elle regarda par la fenêtre. Celle-ci donnait sur une cour encombrée de bouts de ferraille rouillée ; dans un coin, un bac de sable (celui d'Elton peut-être, bien des années auparavant) était empli de feuilles mortes.

– Peu importe ! répéta-t-elle avec férocité. C'est la faute des Noirs. (Elle lança à Richards un regard lourd de reproche, comme si elle le mettait au défi de la contredire.) J'ai soixante-cinq ans, monsieur, mais j'étais une fraîche jeune fille de dix-neuf ans quand tout ça a commencé. En 1979, c'était. Les Noirs sont arrivés. Et maintenant, ils sont partout. Partout ! (Son ton était devenu haineux.) Parfaitement ! Ils les ont mis à l'école avec les Blancs. Ils leur ont donné des postes au gouvernement. Des radicaux, des rebelles ! Je ne serais...

Elle s'interrompit brusquement, regardant Richards comme si elle le voyait pour la première fois, et porta la main à sa bouche pour étouffer un cri.

– Dieu ait pitié de nous... !

– Madame Parrakis...

– Non ! Non ! cria-t-elle d'une voix étranglée par la peur. Oh non ! non, non, NON !

Elle s'avança lentement sur lui, saisissant au passage un long couteau de boucher dans l'évier débordant de vaisselle sale.

– Sortez de chez moi ! Dehors ! Allez, dehors !

Richards se leva et recula pas à pas, traversant d'abord le bout du couloir menant au living, puis le living lui-même.

Il remarqua, fixé au mur, un vieux téléphone à pièces portant l'inscription *La Porte bleue, chambres d'hôtes.* Cela datait du temps où la maison était une respectable pension. Combien d'années y avait-il de cela ? Vingt ? Quarante ? Avant que les Noirs n'envahissent le quartier ?

Toujours à reculons, il était presque arrivé à la porte

lorsqu'une clef tourna dans la serrure. Tous deux s'immobilisèrent comme si une main céleste avait interrompu le déroulement du film en attendant de lui trouver un épilogue approprié.

La porte s'ouvrit, livrant passage à Elton Parrakis. Elton était incroyablement gras. Ses cheveux blonds et ternes, faisant des crans ridicules, encadraient un visage poupin à l'expression perpétuellement étonnée. Il portait l'uniforme bleu et or de la Cie Vendo-Spendo.

Elton regarda Mme Parrakis en hochant la tête.

– Pose ce couteau, maman.

– Non ! s'écria-t-elle, mais ses traits exprimaient déjà la certitude de la défaite.

Elton referma la porte et alla lentement vers elle, d'un pas curieusement saccadé.

Elle se recula légèrement.

– Eltie, dis-lui de s'en aller, supplia-t-elle. C'est ce bandit de Richards. S'il reste, nous sommes perdus. *Je ne veux pas que tu ailles en prison...*

Elle éclata en sanglots, laissa tomber le couteau et s'écroula dans les bras de son fils.

Tout en la berçant doucement, il essaya de la rassurer :

– Mais non, maman, je n'irai pas en prison. Allons, ne pleure pas. S'il te plaît, ne pleure pas.

Par-dessus les épaules frémissantes de sa mère, Elton adressa un sourire désolé à Richards, qui attendait stoïquement que cela se termine.

Lorsqu'elle se fut un peu calmée, Elton lui dit :

– Ecoute-moi, maman. M. Richards est un ami de Bradley Throckmorton. Il va rester quelques jours chez nous.

Mme Parrakis se remit à gémir de plus belle. Elton dut la secouer pour qu'elle se taise.

– Si, maman. Il va rester chez nous. J'irai mettre sa voiture dans le parc, après l'avoir préparée. Demain matin, il faudra que tu ailles poster un paquet pour Cleveland.

– Boston, dit Richards automatiquement. Les cassettes vont à Boston.

– Non, elles vont à Cleveland, maintenant. Bradley a dû s'enfuir de Boston.

– Mon Dieu !

– Toi aussi, tu vas être obligé de t'enfuir ! glapit Mme Parrakis. Ils auront vite fait de t'attraper : tu es si gras !

– Du calme, maman. Je vais accompagner monsieur Richards à sa chambre.

– Monsieur, monsieur ! Comme si cet assassin méritait qu'on l'appelle « monsieur » !

Il conduisit sa mère à un fauteuil et la fit asseoir avec la plus grande douceur, puis précéda Richards dans les escaliers à peine éclairés, en soufflant à chaque marche.

– Il y a beaucoup de chambres, expliqua-t-il. C'était une pension, dans le temps. Quand j'étais bébé. Vous pourrez surveiller la rue.

– Votre maman a sans doute raison, dit Richards. Puisque Bradley a été repéré, je ferais mieux de ne pas rester ici.

– Voilà votre chambre, dit Elton comme s'il n'avait pas entendu.

Il ouvrit une porte. La pièce, assez spacieuse, sentait le renfermé. Des meubles et des rideaux vieillots.

– Ce n'est pas le grand luxe... (Il sourit à Richards, manifestement désireux de faire bonne impression.) Mais vous pouvez rester aussi longtemps que vous voulez. Bradley Throckmorton est mon meilleur ami. (Son sourire se fit hésitant.) C'est le *seul* ami que j'aie jamais eu. Je m'occuperai de maman, n'ayez crainte.

– Je ferais mieux de m'en aller, répéta Richards.

– Je ne vous le conseille pas, monsieur Richards.

Votre pansement n'a même pas trompé maman. Je vais aller mettre votre voiture en sécurité. Nous reparlerons de tout ça ensuite.

Il sortit rapidement, faisant tressauter ses grosses fesses. Richards remarqua que le tissu de son pantalon était élimé.

Richards entrouvrit d'un doigt les vieux volets en bois et le vit se diriger d'un pas lourd vers la voiture. Elton se baissa vers la portière, mais se redressa aussitôt et revint vers la maison. Richards sentit l'inquiétude le gagner. Une minute plus tard, Elton entrait dans la chambre, tout essoufflé mais souriant.

– Maman a raison, annonça-t-il. Je ne ferais pas un bon agent secret. J'ai oublié les clefs.

Richards les lui tendit en disant :

– Merci, Elton.

Elton repartit, traînant ses cent kilos et le souvenir de toutes les humiliations qu'il avait subies depuis qu'il était petit.

– Merci, répéta doucement Richards.

Il arriva à la fenêtre juste à temps pour voir démarrer la petite voiture dans laquelle il était venu à New Hampshire.

Il retira le couvre-lit et s'allongea, les yeux fixés au plafond, évitant de respirer à fond. L'odeur de moisi qui montait de la literie semblait s'insinuer dans tout son corps.

En bas, la mère d'Elton pleurait.

Compte à rebours... 050

Richards somnola un peu. Il faisait presque nuit lorsqu'il entendit avec soulagement le pas pesant d'Elton dans l'escalier. Il se redressa.

Parrakis frappa et entra. Richards vit qu'il s'était changé. Il portait maintenant une chemise sport trop grande pour lui (où avait-il pu dénicher *ça* ?) et des jeans.

– Ça y est, dit-il. Elle est dans le parc.

– Elle ne risque rien ?

– Non. J'ai mis un petit gadget que j'ai bricolé. Si quelqu'un y touche, il reçoit une secousse électrique. En même temps, ça actionne une sirène. C'est efficace.

Il s'assit en poussant un immense soupir.

– Qu'est-ce que c'est que cette histoire de Cleveland ? demanda Richards sur un ton autoritaire (il était facile de prendre ce ton avec Elton).

Parrakis haussa les épaules.

– Bradley, y connaît un gars. Un type un peu comme moi. Je l'ai rencontré une fois à Boston, à la bibliothèque. Il fait partie de notre petit club antipollution. Maman a dû vous en parler...

Il se frotta nerveusement les mains.

– Elle m'en a dit quelques mots.

– Maman est un peu... embrouillée. Elle ne comprend pas grand-chose à ce qui s'est passé depuis une vingtaine d'années. Elle a tout le temps peur. Elle n'a plus que moi.

– Vous croyez qu'ils vont attraper Bradley ?

– Je sais pas. Il a un excellent... service de renseignements, dit Elton, mais son regard évitait celui de Richards.

– Vous...

La porte s'ouvrit et Mme Parrakis apparut, les bras croisés sur la poitrine. Elle souriait, mais son regard était insondable.

– Il faut que vous partiez, annonça-t-elle. J'ai appelé la police.

Le teint d'Elton devint d'un blanc crémeux.

– Tu mens.

Richards se leva lentement, puis s'immobilisa, prêtant l'oreille.

Tout au loin, un faible bruit de sirènes.

– Elle ne ment pas, dit-il, complètement démoralisé. Et voilà ! Retour à la case départ.

– Elle ment, insista Elton.

Il se leva à son tour, puis avança la main pour prendre Richards par le bras, mais la retira aussitôt, comme s'il avait peur de se brûler.

– Ce ne sont que les pompiers.

– Emmenez-moi à la voiture ! Vite !

Les gémissements modulés des sirènes se rapprochaient, emplissant Richards d'une épouvante comme on n'en ressent que dans les cauchemars. Et il était enfermé ici avec ces deux fous pendant que...

– Maman...

Le ton d'Elton était suppliant.

– Je les ai appelés ! glapit Mme Parrakis en empoignant un des énormes bras de son fils. Il le fallait. C'est pour ton bien ! Ce négro t'a fait perdre la tête. On dira qu'il s'est introduit dans la maison et on touchera la récompense...

– Venez, dit Elton à Richards en essayant de se dégager, mais elle s'accrochait désespérément à lui.

– Il le fallait, Eltie. Tu as fait assez de bêtises, avec tes idées de gauche. Tu vas...

Il la repoussa sauvagement, la faisant tomber sur le lit.

– Eltie ! hurla-t-elle. *Eltie... !*

– Vite ! dit Elton, le visage tordu en une grimace de désespoir. Vite, venez !

Ils descendirent les escaliers en se bousculant, sortirent dans la rue et coururent vers le parc. Elton traînait son énorme masse en soufflant comme un phoque.

Malgré la fenêtre et les volets fermés, le hurlement de Mme Parrakis leur parvint, se mêlant au hululement des sirènes :

– JE L'AI FAIT POUR TOOIIIII !...

Compte à rebours... 049

Ils dévalèrent la rue jusqu'au parc, poursuivis par leurs ombres, qui s'allongeaient puis rétrécissaient à chaque lampadaire G-A protégé par un grillage métallique. La respiration sifflante d'Elton faisait un bruit de locomotive.

Ils traversaient la rue lorsque la lumière crue de deux phares les frappa de plein fouet. A une centaine de mètres, une voiture de police freina dans un grincement de pneus, son gyrophare bleu lançant des éclairs.

– RICHARDS ! BEN RICHARDS ! cria une voix dans un mégaphone.

– Ta bagnole... Tu la vois ? haleta Elton.

Richards aperçut la Wint, à moitié cachée par un bouquet de saules malingres, au bord du lac.

La voiture de patrouille redémarra brutalement, dans un rugissement de moteur à essence. Ses pneus laissèrent des traces noires sur la chaussée. Elle s'élança droit vers eux, monta sur le trottoir et s'engagea dans une allée du parc, soulevant des gerbes de feuilles mortes et de terre.

Richards, qui était presque arrivé à la Wint, se retourna lentement. Il avait soudain très froid. Il sortit de sa poche le pistolet que Bradley lui avait donné, visa le pare-brise de la voiture qui lui fonçait dessus et tira à deux reprises, puis s'écarta au dernier moment et se jeta au sol. La voiture passa entre lui et la Wint, projetant des ombres fantomatiques, puis vira avec un hurlement aigu et revint à la charge comme un bison en fureur. A genoux dans l'herbe sèche, Richards vit que le pare-brise était seulement étoilé. Derrière lui, Elton s'affairait frénétiquement autour de la Wint ; il fallait retirer le dispositif d'alarme avant de pouvoir démarrer. Presque à bout portant, aveuglé par les phares, Richards tira de nouveau dans le pare-brise. Cette fois, la balle perça le verre de sécurité.

La voiture était sur lui. Il roula de côté, mais le pare-chocs en acier accrocha son pied gauche, lui tordant violemment la cheville.

Dans un délire d'adrénaline, il vit la voiture de police s'éloigner, tourner, revenir vers lui, avec une lenteur onirique, délibérée, comme dans un ballet où le moindre mouvement est calculé.

Il crut voir la portière de la voiture s'ouvrir. Une mitraillette crachota. Il entendit le bruit sourd des impacts qui dessinaient des dessins fantastiques dans la terre meuble. Une nouvelle rafale. Cette fois, une balle traversa son bras gauche. Sur le moment, il ne sentit presque rien. La voiture fonçait de nouveau droit sur lui. Il s'écarta à temps. Au passage, il vit nettement la silhouette du conducteur et tira. La vitre latérale vola en éclats ; la voiture partit à la dérive, heurta un arbre, puis un autre et se coucha sur le côté dans un grincement de tôles. Le moteur cala. Dans le silence soudain, Richards entendit nettement le crachotement de la radio.

Incapable de se lever, Richards rampa vers la Wint. Parrakis était monté et essayait de la faire démarrer.

Dans son affolement, il avait dû oublier d'ouvrir les évents de sécurité. Chaque fois qu'il tournait la clef, on entendait une toux creuse dans les chambres, et c'était tout.

La nuit s'emplissait du bruit des sirènes. Il semblait venir de toutes les directions à la fois.

Elton réussit finalement à démarrer. L'air-car bondit de l'avant, et freina sec à un mètre de Richards.

Il se mit à genoux, réussit à se dresser sur une jambe, ouvrit la portière côté passager et s'affala sur le siège. Parrakis prit la direction de la 77, qui coupait State Street un peu au-dessus du parc. La Wint filait à toute vitesse, frôlant presque le macadam sur son coussin d'air.

Deux voitures de police, gyropharcs bleus en action, apparurent derrière eux et se lancèrent à leur poursuite.

– On n'est pas assez rapides, haleta Elton. On n'arrivera pas à les semer...

– Prends par ce terrain vague ! lui cria Richards. Ils sont sur roues.

Tanguant dangereusement, la Wint franchit le trottoir et s'engagea dans le vaste espace parsemé de débris divers. Elton jouait du volant comme un fou, évitant les plus gros obstacles. Derrière eux, une voiture de police arrivait déjà dans un hurlement de sirène. Soudain leur lunette arrière explosa, les parsemant de fragments de verre. La voiture de police, filant à cent à l'heure, ne put éviter une grosse pierre. Elle se renversa dans un hurlement de tôle, le réservoir crevé ; une étincelle le fit exploser en une éblouissante boule blanche et pourpre.

La deuxième voiture de patrouille était restée sur la chaussée. Elton l'avait gagnée de vitesse, mais les flics n'allaient pas tarder à les rattraper. Les voitures à essence étaient près de trois fois plus rapides que les air-cars.

Parrakis vira presque à angle droit ; la Wint s'inclina dangereusement, puis se stabilisa. Richards vit que la rue dans laquelle ils s'étaient engagés donnait sur la rampe d'accès à l'autoroute de la côte. Sur une autoroute, ils étaient fichus.

– Tourne ! hurla-t-il. Cette petite rue ! Vite ! (La voiture de patrouille n'était pas encore en vue.) Tourne, nom de Dieu !

– C'est une impasse ! cria Elton, épouvanté. On va être coincés !

Richards lui arracha le volant des mains. Elton appuyait toujours sur l'accélérateur, pied au plancher. La voiture prit le tournant trop vite. Elle accrocha le coin de l'immeuble de gauche, traversa la rue en diagonale, éparpilla deux ou trois poubelles en plastique et un tas d'ordures, puis percuta un mur en brique. Richards fut violemment projeté contre le tableau de bord. Il entendit son nez craquer ; sa bouche s'emplit de sang.

La Wint était à cheval sur le trottoir. Un cylindre toussotait encore faiblement. Parrakis, effondré sur le volant, ne bougeait plus. Pas le temps de s'occuper de lui. Richards ouvrit d'un coup d'épaule la porte faussée. Clopinant sur une jambe, il gagna le bout de la ruelle tout en rechargeant le pistolet. Bradley lui avait donné une boîte de cartouches. Elles étaient froides et légèrement graisseuses au toucher. Il en fit tomber quelques-unes. Son bras gauche commençait à l'élancer comme une dent cariée. La douleur lui donnait la nausée.

Des phares éclairèrent brutalement la rue déserte. La voiture de police prit le virage à une allure folle, chassa de l'arrière, se redressa et se remit à foncer. Dans un instant, un des flics se rendrait compte qu'il n'y avait pas de feux arrière devant eux, verrait la ruelle et comprendrait...

Reniflant et avalant du sang, il se mit à tirer. A cette

distance, les balles traversaient les vitres comme si c'était du papier. A chaque coup, le recul ébranlait son bras blessé, lui faisant mal à hurler.

La voiture de police sembla hésiter, puis décrivit un arc de cercle et entra dans un mur en béton. L'impact fut si violent qu'elle explosa instantanément. Sur le mur, une vieille affiche disait : ÉCHO RÉPARATIONS LIBERTEL – VOUS L'AIMEZ, NOUS EN PRENONS SOIN !

Mais d'autres allaient arriver. Il y en avait toujours d'autres.

Haletant et grimaçant de douleur, Richards retourna à la Wint. A force de sautiller sur sa jambe droite, il commençait à avoir des crampes.

– Je suis blessé, gémissait Parrakis, toujours affalé sur le volant. J'ai si mal... Où est maman ? Maman...

Richards se glissa sous la Wint. Il se mit frénétiquement à nettoyer les chambres des ordures qui s'y étaient accumulées. Son nez pissait le sang. Il en avait plein les joues et les oreilles.

Compte à rebours... 048

Sur les six cylindres, seuls cinq fonctionnaient. La voiture avançait légèrement de travers et ne pouvait dépasser le soixante à l'heure.

Du siège du passager, où Richards l'avait traîné, Parrakis lui indiquait l'itinéraire. La colonne de direction lui avait perforé l'abdomen. Richards pensait qu'il était fichu. Sous les mains de Richards, le volant était tout poisseux de sang.

– Je suis désolé... disait Parrakis. Là, la prochaine à gauche... Tout est de ma faute. J'aurais dû m'en douter. Elle... est pas bien dans sa tête. Elle...

Il cracha un gros caillot de sang noir. Les sirènes

emplissaient toujours la nuit, mais elles étaient loin, et très à l'ouest. Ils avaient réussi à sortir de la ville et suivaient une succession de petites routes que Parrakis connaissait, roulant en gros vers le nord, parallèlement à la 9.

La banlieue de Portland céda peu à peu la place à des marécages broussailleux, anciennes forêts impitoyablement déboisées par les bûcherons du dimanche.

– Tu sais au moins où tu m'emmènes ? demanda Richards.

Il avait mal partout. Le sang qui emplissait son nez l'obligeait à respirer par la bouche. Le pire, c'était sa cheville. Elle était sûrement brisée.

– Un endroit que je connais, répondit Elton Parrakis en crachant de nouveau du sang. Que je connais... Elle me disait toujours, tu n'auras jamais de meilleur ami que ta maman. Imagine... Et je la croyais. Tu crois qu'ils vont lui faire du mal ? La mettre en prison ?

– Non, répondit sèchement Richards, qui n'en avait pas la moindre idée.

Ils avaient quitté la *Porte bleue* à 7 h 10. Il était 7 h 40. Une demi-heure, seulement. Il avait l'impression d'être en route depuis des années.

Au loin, d'autres sirènes se joignirent au chœur sinistre. *L'innommable à la poursuite de l'immangeable*, pensa Richards sans suite. *Si tu n'aimes pas ce jeu, retire tes billes.* Mais il ne pouvait pas. En tout cas, il avait, seul, envoyé deux voitures de patrouille au diable. Une prime de plus pour Sheila et Cathy. *Comment allez-vous, mes chéries ?* Cathy s'étranglerait-elle en buvant le lait acheté avec l'argent du crime ? *Je vous aime. Sur cette foutue petite route où ne viennent sûrement que des braconniers et des amoureux en quête d'un coin tranquille, je pense que je vous aime et je vous souhaite de beaux rêves. Je voudrais...*

– A gauche, croassa Elton.

La route bosselée fit place à une allée asphaltée serpentant entre des trous emplis d'eau croupie, qui répandait une odeur âcre et sulfureuse ; quelques pins et bouleaux rachitiques projetaient des ombres inquiétantes à la lumière des phares. Parfois, une branche basse frôlait le toit de la voiture en grinçant.

Ils passèrent devant un panneau : LE CHAMP DES PINS – CHANTIER INTERDIT AU PUBLIC – DES POURSUITES SERONT ENGAGÉES CONTRE TOUT CONTREVENANT.

Cent mètres plus loin, en haut d'une petite montée, Richards arrêta la voiture. Le chantier s'étendait devant eux. Manifestement le squelette (ce n'était guère plus) d'un futur centre résidentiel et commercial. Les travaux avaient dû cesser depuis au moins deux ans. Un dédale de constructions aux ouvertures béantes, de tranchées, de parpaings entassés, de canalisations rouillées. Quelques cabanes de chantier en plastique ondulé, envahies par les ronces, les orties et les sureaux. Fondations emplies d'eau et de boue, semblables aux tombes de dieux oubliés. Emplacements de parkings dégagés au bulldozer, où se dressaient déjà quelques bouleaux rabougris.

Un grand oiseau de nuit passa, frappant silencieusement l'air de ses ailes presque blanches.

– Aide-moi... à me mettre au volant...

– Tu n'es pas en état de conduire, Elton.

Après deux essais infructueux, Richards parvint à ouvrir la portière.

– Je peux au moins... faire ça pour toi, articula Elton avec ses lèvres sanglantes. Fausse piste... conduirai tant que je pourrai...

– Non.

– Laisse-moi partir ! cria Elton avec une grimace à la fois terrible et grotesque.

Epuisé par cet effort, il eut une toux creuse et finit

par cracher un autre caillot, qui éclaboussa le pare-brise d'écarlate.

– Aide-moi. Trop lourd... pas la force. Pour l'amour de Dieu...

Pantelant, les mains glissant dans le sang épais, Richards réussit à le tirer sur le siège du conducteur. L'avant de la voiture ressemblait à un abattoir. Et Elton continuait à saigner. Richards n'aurait jamais cru qu'un corps humain pût contenir une telle quantité de sang.

Elton resta un moment affalé sur le volant, puis se redressa au prix d'un effort héroïque et démarra. La voiture zigzagua un moment, les feux stop s'allumant par saccades. Elle frôla quelques arbres et s'éloigna lentement, se maintenant à peu près au milieu de l'allée.

Richards pensait qu'Elton louperait le premier tournant, mais il n'entendit aucun bruit de ferraille, rien que le *thump-thump* erratique des cylindres, de plus en plus faible. Puis, il n'y eut plus que les bruits de la nuit et le sifflement lointain d'un avion. Richards réalisa qu'il avait laissé les béquilles dans la voiture – cette fois, il en aurait vraiment eu besoin.

Dans le ciel, les froides constellations diffusaient une pâle lumière bleutée. Il voyait son haleine se condenser devant lui. Il faisait plus froid, cette nuit.

Prudemment, il s'engagea dans le dédale du chantier.

Compte à rebours... 047

Dans une cave, il découvrit un tas de vieux sacs. Il tapa dessus pour chasser les rats et fut récompensé par un nuage de poussière irritante qui le fit éternuer. Une douleur fulgurante traversa son nez cassé. Il en aurait pleuré. Mais pas un seul rat. Ils étaient tous en ville : ici, il n'y avait rien à manger. Il se blottit de son mieux entre les sacs et sombra dans un sommeil hébété.

Il fut réveillé par la lumière de la lune qui entrait par un soupirail. Elle était bas sur l'horizon. Toujours pas de sirènes. Il devait être dans les 3 heures du matin.

Dans son bras blessé, le pouls battait douloureusement. La plaie ne saignait plus. La balle avait arraché un bon morceau de chair, mais l'os n'avait pas été touché. Encore heureux ! Sa cheville, par contre, ce n'était pas fameux. La douleur irradiait jusqu'à la cuisse. Le pied lui-même était insensible, comme détaché de son corps. Il faudrait sans doute des attelles pour immobiliser l'articulation. Sans doute...

Richards sombra de nouveau dans un sommeil agité.

Lorsqu'il se réveilla, il avait la tête plus claire. La lune était déjà haut dans le ciel. Mais ce n'était toujours pas l'aube. Et toujours pas de sirènes. Pourtant, il n'était pas tranquille. Il avait l'impression d'oublier quelque chose...

Bien sûr ! Il se redressa, le cœur battant. Avant midi, il fallait poster deux cassettes. Sinon, sa prime sautait.

Il fallait donc partir d'ici, trouver une boîte aux lettres... Et Bradley était en fuite, s'ils ne l'avaient pas déjà attrapé. De toute façon, Elton ne lui avait pas donné l'adresse de Cleveland.

Un gros animal (un cerf ? Il en existait donc encore ?) passa non loin. Il faillit pousser un cri de terreur. « Normal, se dit-il pour se calmer. Un citadin comme moi, perdu dans ce coin sauvage, au milieu des ruines d'un chantier abandonné... »

Respirant laborieusement par la bouche, Richards examina ses options et leurs conséquences.

1. *Ne rien faire.* Attendre ici que ça se calme.

Conséquences : l'argent qu'il gagnait, cent dollars de l'heure, cesserait de s'accumuler ce soir à 6 heures. Il continuerait à fuir pour rien, mais ils continueraient à le poursuivre, même s'il tenait jusqu'au bout des trente jours. La chasse à l'homme ne s'arrêterait pas avant qu'ils ne l'aient tué.

2. *Envoyer les cassettes à Boston.* Cela ne nuirait pas à Bradley ni à sa famille, puisque leur rôle était déjà connu des autorités. Conséquences : (a) Les cassettes seraient certainement envoyées à Harding par les Chasseurs qui surveillaient le domicile de Bradley, mais (b) ils retrouveraient quand même *sa* trace grâce au cachet de la poste, et reprendraient la chasse.

3. *Envoyer les cassettes directement à la Fédération des Jeux à Harding.* Conséquences : les mêmes qu'en (b) ci-dessus. De toute façon, il serait reconnu dans n'importe quelle agglomération assez importante pour avoir une boîte aux lettres.

Il n'existait aucune bonne solution.

Merci, Mme Parrakis. Merci.

Il se leva péniblement, attendit que le vertige se calme, et se mit en quête d'un objet pouvant servir de béquille (quelle crétinerie d'avoir oublié les vraies dans l'auto !). Il finit par dénicher une planche qui avait à peu près la bonne longueur.

Après avoir monté les marches coulées dans le béton, Richards se retrouva à l'air libre. Il se rendit compte qu'il pouvait voir ses mains. A l'est, une lueur grise, hésitante encore, annonçait le jour. Il regarda avec regret l'immense et chaotique chantier. *Dommage. Ç'aurait fait une bonne cachette.*

Regrets inutiles. Se cacher ne valait rien. Il fallait courir, toujours courir, comme le lièvre devant les chasseurs.

Des serpents de brume rampaient entre les arbres dénudés. Richards s'arrêta un moment pour s'orienter, puis partit vers les bois qui bordaient le chantier au nord.

La béquille n'était pas très confortable, mais le soulageait quand même beaucoup.

Compte à rebours... 046

Il faisait grand jour depuis deux heures. Richards commençait à se demander s'il ne tournait pas en rond lorsqu'il entendit, non loin devant lui, le chuintement plaintif d'air-cars filant à pleine vitesse.

Peu après, allongé dans les fourrés, il vit la route. Une simple route à deux voies. Il n'y avait pas beaucoup de circulation. A un demi-kilomètre environ sur la droite, se trouvait un groupe de maisons. Il aperçut deux pompes à air. Sans doute un garage ou une petite station-service.

Il continua à avancer, parallèlement à la route. Son visage et ses mains étaient griffés par les ronces, ses vêtements étaient pleins de boules de bardane et de graines duveteuses. Il y en avait tellement qu'il n'essayait plus de les ôter. De plus, il était mouillé de la tête aux pieds. En traversant un ruisseau à gué, sa « béquille » avait glissé sur la vase et il s'était étalé de tout son long. La caméra était intacte. Elle était à l'épreuve des chocs et de l'humidité. Bien sûr.

La végétation devint plus clairsemée. Il continua à genoux, le plus loin possible, puis s'assit pour faire le point.

Il se trouvait sur une petite butte couverte d'herbes hautes et sèches ; autour de quelques souches d'arbres, des rejetons s'obstinaient à pousser. Au-dessous de lui, la route, bordée d'une poignée de bungalows. Un magasin aussi, avec les deux postes à air, quelques distributeurs de chewing-gums et un de haschisch. Juste à côté de ceux-ci, une boîte aux lettres bleu et rouge. S'il était arrivé avant le jour, il aurait pu poster les cassettes sans être vu.

Adieu veau, vache, cochon, couvée...

Avant tout, il fallait enregistrer les cassettes. Il trouva un endroit plus abrité et sortit la caméra.

« Bonjour ! commença-t-il. Bonjour à vous, habitants du beau pays du Libertel ! Ici votre joyeux ami Ben Richards, qui fait son petit trek annuel dans la nature sauvage. En regardant bien, vous verrez peut-être le hardi cardinal écarlate ou l'oiseau-vache tacheté. Hélas, le porc ailé à ventre jaune est devenu rare. »

Il marqua une pause.

« Ils me laisseront sans doute dire ça, mais le reste sera sûrement coupé. Si vous êtes sourds et savez lire sur les lèvres, écoutez-moi bien. Dites-le à vos amis et voisins. Ecrivez-le partout. Le Réseau empoisonne l'air que vous respirez et vous prive intentionnellement d'une protection efficace et bon marché. Il agit ainsi pour... »

Il enregistra les deux cassettes et les mit dans la poche de son pantalon. Et ensuite ? La seule possibilité, c'était d'y aller pistolet au poing, de poster les cassettes et de s'enfuir. Ou alors voler une voiture. Dans les deux cas, sa présence serait aussitôt signalée. Il repensa au pauvre Parrakis. Il n'avait pas dû aller loin...

Il avait sorti le pistolet et s'apprêtait à y aller lorsqu'une voix le fit sursauter :

– Ici, Rolf !

Des aboiements de plus en plus proches, un bruit de branches cassées... Il eut tout juste le temps de penser *Des chiens ! Ciel ! ils ont des chiens policiers !* lorsqu'une forme marron foncé, énorme, surgit des taillis et se jeta sur lui.

Le choc lui fit lâcher le pistolet. Il se retrouva sur le

dos tandis que l'animal, un bâtard de berger allemand, lui léchait le visage avec sa langue baveuse, agitant vigoureusement la queue en signe de joie.

– Rolf ! Ici ! Rolf ! Veux-tu...

Richards entrevit des pieds chaussés de baskets, des jambes vêtues de jeans ; un jeune garçon attrapa le chien par le collier et l'entraîna en s'arc-boutant de toutes ses forces.

– N'ayez pas peur, m'sieur. Il est pas méchant, il mord pas. Il veut jouer, c'est tout... Ben dites donc, vous êtes dans un drôle d'état ! Vous vous êtes perdu ?

Tenant toujours le chien par le collier, le garçon regardait Richards sans dissimuler son intérêt. Un gosse solide, bien bâti, d'une douzaine d'années, sans la pâleur maladive des petits citadins. Son expression était étrange. Il fallut à Richards un bon moment pour l'identifier. C'était tout simplement de l'innocence.

– C'est ça, je me suis perdu.

– Vous avez dû vous faire drôlement mal, en tombant ?

– Je crois bien. Tu peux regarder mon visage de près, pour voir si je suis très égratigné ? Je ne me vois pas, tu comprends.

Le gosse se pencha et examina attentivement le visage de Richards. Son expression ne changea pas. « Au moins un qui ne regarde pas le Libertel », se dit Richards, rassuré.

– Vous êtes pas mal griffé et ça saigne un petit peu. Rien de grave.

Il y avait comme de l'ironie dans sa voix, mais c'était dû à son accent légèrement nasillard.

– Vous vous êtes échappé de Thomaston ? Pas de Pineland, en tout cas : vous ne ressemblez pas à un débile.

– Je ne me suis échappé de nulle part, répondit Richards, se demandant si c'était la vérité ou un mensonge. Je faisais du stop. Une mauvaise habitude. Ça t'arrive d'en faire ?

– Oh non, jamais ! Papa dit qu'il y a trop de cinglés sur les routes.

– Il a raison. Mais il fallait que j'aille en vitesse à... (Il fit claquer ses doigts, comme si le nom lui échappait.) Tu sais bien, le jetport.

– Voigt Field ?

– C'est ça.

– Vous n'êtes pas arrivé, m'sieur. C'est à cent cinquante kilomètres d'ici, près de Derry.

– Je sais, dit Richards en soupirant.

Il passa la main dans l'épaisse toison de Rolf, qui se coucha obligeamment sur le dos et se laissa caresser. Richards réprima une forte envie de ricaner et une envie, tout aussi forte, de pleurer.

– A la frontière du New Hampshire, trois types m'ont pris en stop. J'aurais jamais dû monter avec eux. Des vrais durs. Ils m'ont passé à tabac et m'ont volé mon portefeuille avant de me laisser dans une sorte de chantier abandonné.

– Je connais. Dites, m'sieur, vous voulez venir à la maison boire un café et vous laver un peu ?

– J'aimerais bien, mon gars, mais je n'ai vraiment pas le temps. Il faut absolument que je sois au jetport ce soir.

– Vous allez encore faire du stop ? demanda le gosse en ouvrant de grands yeux.

– Il faut bien. (Richards commença à se redresser, puis se rassit brusquement, comme s'il avait eu une inspiration subite.) Ecoute, tu veux me rendre un service ?

Le regard du gamin devint soupçonneux.

– Ça dépend.

Richards sortit les deux cassettes.

– Ce sont des justificatifs de crédit. Si tu les postes

sans perdre de temps, ma banque m'enverra de l'argent à Derry. Et tous mes problèmes seront réglés.

– Même sans adresse dessus ?

– Ça y va automatiquement. C'est prévu.

– Bon, d'accord. Il y a une boîte devant chez Jarrold. Allez, Rolf, viens !

Son visage montrait clairement qu'il ne croyait pas un mot de ce que Richards racontait. Ce dernier laissa le gosse faire quelques pas, puis le rappela :

– Reviens ! J'ai autre chose à te dire.

Le gamin revint, visiblement méfiant, et même un peu effrayé. « Il y a de quoi, se dit Richards : mon histoire est vraiment un peu grosse. »

– Je crois qu'il va falloir que je te dise tout. Ce que je t'ai raconté n'était pas un mensonge, mais ce n'était pas toute la vérité. Et je ne veux pas que tu racontes des bêtises à mon sujet.

Le soleil d'octobre réchauffait agréablement ses membres engourdis et douloureux. Ah ! somnoler toute la journée sur cette colline ! Il reprit le pistolet, qui était tombé entre des herbes touffues, et le posa à ses pieds, bien en évidence. Le gosse se mordit les lèvres.

– Services secrets, dit Richards flegmatiquement.

– Ça alors ! murmura le gosse.

Assis à côté de lui, Rolf haletait en tirant sa longue langue rose.

– Je suis à la poursuite d'une bande de types très dangereux. Tu as vu comment ils m'ont arrangé. Il *faut* que ces cassettes partent sans tarder.

– Vous pouvez compter sur moi, dit le garçon, tout haletant. Eh ben, quand je raconterai ça à...

– A *personne* ! N'en parle absolument à personne avant demain soir. Cela pourrait avoir des conséquences très graves, et il y aurait des représailles. Tu as bien compris ?

– Oui, m'sieur. J'ai compris, m'sieur.

– Alors, vas-y vite, mon gars ! Et merci !

Tout fier, le gamin serra la main qu'il lui tendait.

Richards le regarda dévaler la colline, avec sa grosse chemise à carreaux jaunes et rouges, suivi par son chien qui jappait joyeusement. *Dire que Sheila et Cathy n'ont jamais connu ça !*

Sans même qu'il en eût conscience, son visage se crispa en une terrifiante grimace de haine et de rage. Il aurait maudit Dieu et la création entière si son esprit ne lui avait présenté une cible plus réaliste : la Fédération des Jeux. Et derrière elle, l'ombre d'un dieu encore plus ténébreux : le Réseau.

Dès qu'il eut vu le gosse, au loin, mettre les cassettes dans la boîte, il se leva avec raideur, s'aidant de sa béquille improvisée. Se maintenant à distance prudente du hameau, il gagna lentement une intersection qu'il avait aperçue.

Le jetport, pourquoi pas. Et avant que tout ça ne soit fini, il réglerait peut-être ses comptes. *Quelqu'un* devait payer.

Compte à rebours... 045

Arrivé au croisement, Richards s'assit sur l'accotement, comme un auto-stoppeur découragé qui se repose un moment au doux soleil automnal. Il laissa passer les deux premières voitures. Dans chacune, il y avait deux hommes. Trop risqué. Un sentiment familier, proche du désespoir, l'envahit de nouveau. Toute la région devait être en alerte, même si Parrakis avait réussi à aller loin. Si une voiture de police arrivait, il était cuit.

Lorsqu'une troisième voiture approcha du stop, il se leva. Une femme seule. Il lui fit signe du pouce. Elle ne le regarda même pas : un auto-stoppeur, cela s'ignore. Il ouvrit la portière et se précipita à l'intérieur au moment même où elle redémarrait. Il eut tout juste le temps de rentrer son pied droit et de claquer la portière, lorsqu'elle freina sec. S'il ne s'était pas retenu à la poignée, cela lui aurait fait une bosse de plus.

– Mais qu'est-ce qui vous permet... Vous ne pouvez pas...

Richards pointa le pistolet sur la femme. Il devait avoir un aspect redoutable, avec son visage en sang. Excellent : plus il lui ferait peur, mieux ça marcherait. Elle était vêtue de façon assez élégante et portait de grosses lunettes ovales à verres mauves. Pas vilaine, pour autant qu'il pût en juger.

– Roulez, lui ordonna Richards.

Elle se tourna alors vers lui, et eut la réaction prévisible : elle poussa un cri aigu et, les deux pieds sur le frein, s'exclama :

– Vous êtes ce... vous êtes... Rrrr...

– Ben Richards. (Il leva un peu plus le pistolet.) Otez vos mains du volant et posez-les sur vos genoux.

Elle obéit, prise d'un tremblement incontrôlable, puis se détourna, incapable de le regarder plus longtemps.

– Comment vous appelez-vous, m'dame ?

– A... Amélia Williams. Ne tirez pas. Ne me tuez pas... Je... Prenez mon argent, prenez la voiture, mais pour l'amour du ciel, *ne me tuez paaaaas* !

– Chut ! chut... Surtout, ne criez pas.

Dès qu'elle se fut un peu calmée, il ajouta :

– Je n'essaierai pas de vous faire changer d'avis à mon sujet, madame Williams. C'est bien madame ?

– Oui, répondit-elle automatiquement.

– Je n'ai pas l'intention de vous faire de mal. Vous comprenez ?

– Oui, dit-elle, reprenant espoir. Vous voulez la voiture. Ils ont pris votre ami et il vous faut une voiture. Prenez-la. Je ne le dirai à personne. Je le jure. Je dirai qu'on me l'a volée dans un parking. Je...

– Nous en reparlerons. Démarrez, madame Williams. Prenez la Une et on verra la suite. Il y a des barrages ?

– N... Oui. Des centaines. Vous ne passerez jamais.

– Ne mentez pas, madame Williams. D'accord ?

Elle commença à conduire, d'abord très mal, puis de plus en plus normalement. Richards lui demanda de nouveau s'il y avait des barrages aux environs.

– Il y en a un. Juste avant Lewiston. C'est là qu'ils ont pris l'autre cra... l'autre type.

– C'est loin d'ici ?

– Dans les cinquante kilomètres.

Parrakis était allé bien plus loin qu'il ne l'aurait cru.

– Vous allez me violer ?

La question était si soudaine que Richards faillit éclater de rire.

– Non, dit-il posément. Je suis marié.

– Je l'ai vue au Libertel.

Son ton était si dédaigneux qu'il eut envie de la gifler. *Bouffe de la merde. Tue un rat caché dans le placard, tue-le à coups de balai. Et on verra sur quel ton tu parles de ma femme !*

– Je pourrai bientôt descendre ? demanda-t-elle d'une voix tellement suppliante qu'il eut presque pitié d'elle.

– Non. Vous êtes ma protection, madame Williams. Il faut que j'aille au jetport de Voigt Field, c'est près de Derry. Je compte sur vous pour y arriver sans encombre.

– Mais c'est à près de deux cent cinquante kilomètres !

– Quelqu'un d'autre m'avait dit cent cinquante.

– On vous a mal renseigné. Vous n'y arriverez jamais.

– J'ai une chance, dit Richards en la regardant. Et vous aussi, si vous ne faites pas de bêtises.

Elle se remit à trembler un peu, mais ne dit rien. Elle avait l'attitude d'une femme qui attend de se réveiller d'un cauchemar.

Compte à rebours... 044

Ils roulaient vers le nord, traversant des forêts incandescentes.

Ici, les arbres n'étaient pas assassinés par les fumées vénéneuses de Portland, Manchester et Boston. L'automne resplendissait de tous les tons de jaune, d'orange et de rouge. Cette splendeur éveilla en Richards une profonde mélancolie – sentiment dont il ne se serait jamais cru capable une semaine auparavant. Et dans un mois, toute cette beauté serait ensevelie sous la neige.

Ainsi finit toute chose.

Sentant peut-être son humeur, elle conduisait en silence. Le chuintement de l'air sur la carrosserie était apaisant. A Yarmouth, ils franchirent un pont. Ensuite, de nouveau la forêt, avec des caravanes et de misérables bicoques en bois. Mais partout, en regardant bien, l'on pouvait voir le raccord des câbles du Libertel, fixé à côté d'une fenêtre branlante ou d'une porte à la peinture écaillée. Peu après, ils arrivèrent à Freeport.

Trois voitures de police étaient arrêtées à l'entrée de la petite ville. Les flics étaient descendus et semblaient tenir une conférence au bord de la route. La femme se raidit et devint d'une pâleur mortelle. Richards resta parfaitement calme.

Les policiers ne levèrent même pas la tête à leur

passage. La femme s'affaissa imperceptiblement dans son siège.

– S'ils avaient surveillé la circulation, ils nous auraient sauté dessus, fit observer Richards avec détachement. Vous ne voyez pas la tête que vous faites. Vous pourriez aussi bien peindre en rouge BEN RICHARDS EST DANS CETTE VOITURE sur votre front.

Il eut un rire sarcastique.

– Vous vous moquez de moi ? dit-elle, piquée au vif. Vous osez rire de moi ? Vous avez du culot, espèce de vulgaire assassin ! Vous me faites mourir de peur, et vous avez sûrement l'intention de me tuer comme vous avez massacré ces pauvres gars à Boston...

– Ces pauvres gars étaient au moins une vingtaine. Prêts à me tuer. Parce que c'est leur boulot.

– Vous êtes prêt à tout pour de l'argent ! Tuer ! Mettre le pays à feu et à sang ! Pourquoi ne faites-vous pas un travail honnête ? Je vais vous le dire : parce que vous êtes trop paresseux ! Vous haïssez tous les gens honnêtes et décents !

– Etes-*vous* une femme honnête ? demanda Richards.

– Oui ! s'écria-t-elle. C'est pour cela que vous m'avez choisie ? Parce que j'étais sans défense et... honnête ? Pour me rabaisser à votre niveau, pour me ridiculiser ?

– Si vous êtes tellement honnête, comment se fait-il que vous vous soyez payé une voiture de six mille nouveaux dollars pendant que ma petite fille meurt de la grippe ?

– Quoi ? (Elle parut un moment prise au dépourvu, puis redressa le menton.) Vous êtes un ennemi du Réseau. On l'a dit au Libertel. J'ai également vu les choses répugnantes que vous avez faites.

Richards prit une cigarette dans le paquet posé sur le tableau de bord et l'alluma.

– Je vais vous dire ce qui est répugnant. Ce qui est

répugnant, c'est d'être mis à l'index parce que vous ne voulez plus faire pour *General Atomics* un travail qui rend stérile. C'est répugnant d'être au chômage et de voir votre femme gagner de quoi manger en se prostituant. C'est répugnant de savoir que le Réseau tue chaque année des millions de personnes à cause de la pollution, alors que le prix de revient d'un filtre efficace est de dix dollars.

– Vous mentez.

Elle serra farouchement les mâchoires.

– Quand ça sera terminé, vous pourrez regagner votre luxueux duplex et allumer une Dokes en regardant scintiller l'argenterie sur le buffet. Aucun de vos voisins ne poursuit les rats dans les escaliers en brandissant un balai ; aucun ne va chier devant la porte parce que les toilettes sont bouchées. Il y a quelques jours, j'ai rencontré une petite fille de cinq ans qui mourait d'un cancer des poumons. C'est assez répugnant pour vous, ça ? Qu'est-ce que...

– Taisez-vous ! cria-t-elle. *Vous êtes obscène !*

– Obscène, c'est le mot, dit-il en regardant défiler le paysage, tandis qu'un désespoir glacé l'envahissait.

Toute communication était impossible avec ces élus. Ils vivaient dans des sphères raréfiées où rien ne les atteignait. Il eut une soudaine envie de lui arracher ses belles lunettes, de la jeter dehors et de la traîner dans la poussière, de la forcer à manger du gravier, de lui casser plusieurs dents puis de la violer, de lui sauter dessus à pieds joints – et de lui demander si elle commençait à voir l'ensemble du tableau, le spectacle qui se joue vingt-quatre heures sur vingt-quatre et n'arrête jamais.

– Obscène, répéta-t-il entre ses dents. C'est exactement cela.

Compte à rebours... 043

Ils arrivèrent jusqu'à une jolie ville nommée Camden, au bord de la mer, à plus de cent cinquante kilomètres de l'endroit où il était monté dans la voiture d'Amélia Williams. Il était presque miraculeux qu'ils aient pu aller aussi loin sans avoir le moindre ennui.

Auparavant, il avait fallu traverser Augusta, la capitale de l'Etat.

– Ecoutez, lui avait-il dit. Il y a de fortes chances pour qu'on soit repérés ici. Je n'ai aucun intérêt à vous tuer. Vous pigez ?

– Oui. (Son ton se fit venimeux :) Il vous faut un otage.

– Tout juste. Si un flic vous fait signe, vous vous arrêtez. Immédiatement. Vous ouvrez la portière et vous vous penchez dehors. J'ai dit *penchez* : votre derrière ne doit pas quitter le siège. C'est clair ?

– Oui.

– Et vous braillez : Benjamin Richards m'a prise en otage. Si vous ne le laissez pas passer, il va me tuer.

– Vous vous imaginez que *ça* va marcher ?

– Il y a intérêt, dit-il avec une raillerie féroce. Si vous tenez à votre peau...

Elle se mordit les lèvres et ne dit rien.

– Je crois que ça marchera. En un rien de temps, ça va grouiller de cameramen indépendants qui visent le prix Zapruder ou au moins une prime. Avec ce genre de publicité, ils seront obligés de respecter la règle du jeu. Pas moyen de vous trouer la peau avant de vous présenter comme la dernière victime de l'horrible Ben Richards.

– Vous pourriez vous abstenir de *dire* des choses pareilles.

Sans répondre, il s'enfonça le plus possible dans son siège, et attendit les sirènes de police.

Il n'y eut pas de sirènes à Augusta, ni de gyrophares bleus. Après avoir traversé la ville, ils continuèrent à rouler pendant une bonne heure. La route longeait l'océan. Le soleil déjà bas dardait ses rayons à travers les pins, faisant miroiter la crête des vagues. La forêt alternait avec de petits champs. Ils franchirent plusieurs ponts.

Peu après 2 heures, aux abords de Camden, ils aperçurent le barrage : deux voitures de patrouille garées de sorte à laisser une seule voie libre. Richards vit deux policiers jeter un coup d'œil à l'intérieur d'une camionnette et faire signe au conducteur de repartir.

– Roulez encore cent mètres, puis arrêtez-vous, dit-il à la femme. Ensuite, faites exactement ce que je vous ai dit.

Elle était pâle, mais semblait capable de se contrôler. Résignée, sans doute. Elle freina en douceur. L'air-car s'immobilisa au milieu de la chaussée, à une quinzaine de mètres des flics.

L'un d'eux lui fit des signes impérieux de la main.

– Avancez, avancez !

Comme la voiture restait obstinément sur place, il lança un regard interrogateur à son compagnon. Un troisième flic, qui était resté dans une des voitures, les pieds sur le tableau de bord, se redressa et se mit à parler rapidement dans son micro.

Et voilà, se dit Richards. *C'est parti !*

Le ciel était limpide (la pluie et la bruine de Harding semblaient à des années-lumière) et la lumière crue soulignait vigoureusement les contours des objets. Les policiers commencèrent à dégainer.

Mme Williams ouvrit la vitre et passa la tête dehors.

– Ne tirez pas, s'il vous plaît, dit-elle.

Pour la première fois, Richards se rendit compte à quel point sa voix était mélodieuse et raffinée. N'étaient le pouls qui faisait battre les veines de son cou et ses mains exsangues à force de se crisper sur le volant, elle aurait pu se trouver dans un salon. Le vent leur apportait une odeur revigorante de pins et d'herbe fraîchement fauchée.

– Sortez de la voiture, les mains sur la tête, récita le premier flic comme une machine bien programmée. (G-A modèle 6925-A9, policier de la route standard, piles iridium comprises. Se fait en blanc seulement.) Vous et votre passager. Nous l'avons vu.

Richards s'était blotti sur son siège ; seules quelques mèches de cheveux dépassaient du tableau de bord.

– Mon nom est Amélia Williams, cria-t-elle. Je ne peux pas descendre. Benjamin Richards m'a prise en otage. Si vous ne le laissez pas passer, il dit qu'il va me tuer.

Les deux flics se regardèrent. Richards, les nerfs à vif, dut sentir le message muet qu'ils échangeaient.

– *Démarrez !* hurla-t-il.

– Mais, fit-elle, complètement effarée.

Les deux policiers s'agenouillèrent presque simultanément, l'arme au poing, un de chaque côté de la route.

De son pied blessé, Richards écrasa la chaussure

droite d'Amélia Williams en grimaçant de douleur. La voiture démarra en trombe.

Deux impacts successifs firent vibrer la carrosserie, mais la voiture ne dévia pas de sa trajectoire. Un troisième fit éclater le pare-brise. Par pur réflexe, elle porta les mains à son visage. Richards se jeta sauvagement contre elle et réussit à redresser le volant. Ils se faufilèrent de justesse entre les voitures de patrouille.

Le temps de voir dans le rétro que les deux flics se levaient, et il fit face à la route. Ils arrivaient en haut d'une petite montée lorsqu'une balle perfora le coffre avec un bruit sourd. La voiture fut légèrement déportée, mais Richards put la maîtriser. Il était vaguement conscient que la femme hurlait.

– Reprenez le volant, nom de Dieu ! cria-t-il.

Elle fixait la route, comme hypnotisée. Ses mains trouvèrent le volant à tâtons, puis se refermèrent autour du cercle de plastique.

– Ils ont tiré sur nous, dit-elle soudain, d'une voix proche de l'hystérie. *Ils ont tiré...*

– Arrêtez-vous sur le côté ! Vite !

Derrière eux, des bruits de sirènes approchaient.

Elle freina trop brutalement. La voiture s'immobilisa dans une gerbe de gravier après avoir fait un demi-tour sur elle-même.

– Je leur ai dit, pourtant, reprit-elle plus calmement, d'une voix exprimant une infinie surprise. Je leur ai dit, et ils ont tiré *quand même...*

Richards était déjà dehors et rebroussait chemin en clopinant. Au bout de quelques pas, il perdit l'équilibre et tomba lourdement, s'éraflant les genoux.

Lorsque la première voiture de police arriva en haut de la côte, il était assis sur le bas-côté, le pistolet levé à hauteur d'épaule. La voiture devait faire du cent quarante, et continuait à accélérer : un cow-boy de province avec trop de chevaux sous le capot et des visions de gloire dans la tête. Peut-être l'aperçut-il, et essaya-t-il de freiner. Sans importance : les pneus n'étaient pas à l'épreuve des balles. Le pneu avant droit explosa comme s'il contenait de la dynamite. Touchant à peine le sol, la voiture décrivit un arc de cercle, franchit l'accotement et percuta un gros hêtre, tandis que le conducteur traversait le pare-brise comme un boulet de canon pour aller s'écraser dans les fourrés, une trentaine de mètres plus loin.

La seconde voiture arriva presque aussi vite. Richards dut tirer à quatre reprises avant de toucher un pneu. Celle-ci tourna deux fois sur elle-même avant d'effectuer plusieurs tonneaux, en projetant de tous côtés des fragments de verre et de métal.

En se relevant, Richards vit sur sa chemise, juste au-dessus de la ceinture, une tache rouge-noir qui s'élargissait lentement. Pas le temps de s'occuper de ça. Il regagna l'air-car en clopinant, puis se jeta à plat ventre lorsque la deuxième voiture de patrouille explosa.

Il se releva en haletant. Sa respiration était curieusement gémissante. Il commençait à sentir une douleur sourde au côté. Pas tout le temps, mais par cycles.

Amélia Williams aurait peut-être pu se sauver, mais elle n'avait même pas essayé. Elle fixait, médusée, la voiture qui brûlait au milieu de la chaussée. Lorsque Richards monta, elle eut un mouvement de recul.

– Vous avez tué ces hommes, dit-elle. Vous les avez tués.

– Ils ont essayé de *nous* tuer, ne l'oubliez pas. Repartez, vite !

– PAS MOI ! ILS N'ONT PAS VOULU *ME* TUER !

– *Démarrez !*

Elle obéit.

Le masque de la bourgeoise bon chic, bon genre était tombé, révélant une vérité plus brute venue de l'âge des cavernes. Yeux hagards, visage agité par des tics, un soupçon de bave aux lèvres.

Sept ou huit kilomètres plus loin, il y avait un petit magasin au bord de la route, avec deux pompes à air.

– Arrêtez-vous là.

Compte à rebours... 041

– Descendez.

– Non.

Il enfonça le canon du pistolet dans son sein droit.

– Non, gémit-elle. Non, par pitié...

– Désolé, mais ce n'est pas le moment de jouer à la princesse. Descendez.

Elle obéit. Il sortit du même côté qu'elle.

– Il faut que je m'appuie sur vous.

Il passa un bras autour de ses épaules et pointa le pistolet en direction de la cabine téléphonique. Ils s'en approchèrent pas à pas, couple grotesque pour film d'épouvante. Richards se sentait incroyablement fatigué. Dans son esprit, des images se succédaient sans trêve. La voiture s'écrasant contre l'arbre, le policier traversant les airs comme une torpille, l'explosion...

Le propriétaire du magasin sortit : un homme malingre aux cheveux presque blancs, portant un tablier de boucher crasseux. Il les fixa d'un regard apeuré.

– Restez pas là, dit-il d'une voix blanche. J'veux pas de vous ici. J'ai une famille. S'il vous plaît. J'ai assez d'ennuis comme ça. Je...

– Retourne dans ta boutique, grand-père.

L'homme ne se le fit pas dire deux fois.

Richards se glissa dans la cabine et mit cinquante *cents* dans la fente. Tenant le combiné et le pistolet de la même main, il composa le numéro de l'inter.

– Je suis à quel central ? demanda-t-il.
– Rockland, monsieur.
– Passez-moi le bureau local de Libertel-Infos, s'il vous plaît.
– Vous pouvez faire le numéro directement, monsieur. C'est le...
– *Passez-le-moi !*
– Bien, monsieur, dit l'opératrice, imperturbable.
Il y eut une série de déclics. En baissant les yeux, Richards vit qu'une bonne partie de sa chemise était imbibée de sang. Il se détourna. Cela lui donnait envie de vomir.
– Libertel Rockland, annonça une voix. Ici le correspondant 6943.
– Ben Richards à l'appareil.
Après un long silence, la voix reprit :
– Ecoute, mon gars, c'est peut-être très drôle, mais on a d'autres chats à...
– Suffit. Vous en aurez confirmation dans dix minutes maximum. Immédiatement, si vous pouvez capter la fréquence de la police.
– Je... un instant, ne quittez pas.
Le bruit du combiné posé sur une table, puis un sifflement lointain. Lorsque la voix revint en ligne, elle était sèche, professionnelle, vibrant d'une excitation réprimée.
– Où êtes-vous ? La moitié des flics du Maine vient de traverser Rockland à deux cents à l'heure.
Richards se pencha pour lire l'enseigne du magasin.
– Au Gilly's Store, sur la Une. Vous connaissez ?
– Ouais. Ne...
– Ecoute-moi bien, mon petit. Je ne t'ai pas appelé pour te raconter ma vie. Alerte les photographes. Vite. Et diffuse le message suivant, de toute urgence : J'ai un otage. Amélia Williams. Elle est de...
Il l'interrogea du regard.
– Falmouth, dit-elle d'une voix pitoyable.

– De Falmouth. Si on ne me donne pas un sauf-conduit, je la tue.

– Super ! Je me vois déjà prix Pulitzer !

– Non, tu chies dans ton froc, rétorqua Richards, qui avait du mal à rassembler ses pensées. Ne perds pas de temps. Je veux que les flics soient informés que le pays entier sait que j'ai un otage. A un barrage, on s'est fait canarder par trois de ces salauds.

– Que leur est-il arrivé ?

– Je les ai tués.

– Tous les trois ? Fabuleux !

Richards l'entendit crier à la cantonade : « Dicky ! Prépare-moi une nationale, top priorité ! »

– S'ils tirent de nouveau, je la tue, dit Richards en essayant de prendre un ton convaincant, comme dans les films de gangsters qu'il avait vus quand il était petit. S'ils veulent sauver la fille, faudra qu'ils me laissent passer.

– Quand...

Richards raccrocha et sortit péniblement de la cabine.

– Aidez-moi.

Elle le prit par la taille pour le soutenir. En voyant le sang, elle grimaça.

– Vous voyez où cela vous mène, dit-elle. Vous êtes complètement fou.

– Oui.

– Vous êtes fou, répéta-t-elle. Ils vont vous tuer.

– Ramenez-moi à la voiture et prenez le volant.

Il se laissa lourdement tomber sur le siège, à bout de souffle. Par instants, il perdait le contact avec la réalité. Une musique aiguë, atonale, résonnait à ses oreilles. Elle démarra et sortit lentement du parking. Son élégant corsage à fines rayures noires et vertes était barbouillé de sang. Richards eut le temps d'apercevoir le propriétaire, Gilly, entrouvrir la porte du magasin et lever un vieux Polaroïd. Son expression hésitait entre l'horreur et une joie enfantine.

Au loin, un chœur de sirènes de police.

Compte à rebours... 040

Ils arrivaient dans la banlieue résidentielle de Rockland. De plus en plus de gens aux fenêtres et sur les pelouses, caméra à la main. Richards se détendit.

– Les policiers du barrage, commença Amélia. Ils visaient les cylindres. C'était une erreur. Une simple erreur.

– Si cette larve visait les cylindres quand il a atteint le pare-brise, c'est qu'il a besoin de lunettes.

– *Je vous dis que c'était une erreur !*

Des maisons de vacances. Des allées sablonneuses menant à des villas de bord de mer. *Auberge de la Brise*. Chemin privé. *Moi et Patty*. Entrée interdite. *Villa Elisabeth. Mon repos*. Danger de mort. Tir à vue. *Les Nuages*. 5 000 volts. *Je plane*. Attention chiens policiers.

Des visages avides et des yeux vicieux les regardaient passer. Partout, les braillements du Libertel. Une atmosphère de carnaval.

– Tout ce qu'ils veulent, dit Richards, c'est voir couler le sang. Plus il y en aura, plus ils seront contents. Ils préféreraient sûrement que les flics nous tuent tous les deux. Vous n'avez pas cette impression ?

– Non.

– Eh bien, chapeau !

Un vieil homme à la barbiche argentée, portant un short à carreaux qui descendait au-dessous des genoux, accourut avec un appareil photo équipé d'un gigantesque téléobjectif. Se tordant en tous sens, il se mit à prendre photo sur photo. Ses jambes étaient blanches comme un ventre de poisson. Soudain, Richards éclata d'un rire explosif.

Amélia sursauta.

– Mais...

– Il n'a pas ôté le bouchon de l'objectif. Il ne...

Le rire le submergea de nouveau.

Ils approchaient du centre de Rockland. Plein de voitures arrêtées, des trottoirs noirs de monde. Rockland avait sans doute été jadis un joli port de pêche, avec des hommes en cirés jaunes allant en mer à bord de frêles embarcations. Jadis. Maintenant, il y avait des centres commerciaux partout. Des drive-in. Des bars. Des selfs. Sur la colline, avec vue sur la mer, de coquettes villas, des petits immeubles cossus. Autour du port, dont les effluves huileux leur parvenaient, un ramassis d'habitations misérables. Et au loin, la mer, bleue et grise et scintillante, toujours pareille à elle-même.

Devant eux, au bout de la rue, des voitures de police, dont les gyrophares lançaient des éclairs mal synchronisés, anarchiques. Il y avait même un véhicule blindé, qui les suivait du canon de sa mitrailleuse lourde.

– Vous êtes fichu, dit-elle, avec, semblait-il, une nuance de regret dans la voix. Faudra-t-il que je meure aussi ?

– Arrêtez-vous à cinquante mètres du barrage et faites votre numéro.

Richards se tassa jusqu'à ce que sa tête soit sous le tableau de bord. Un tic nerveux agitait son visage.

Elle s'arrêta, mais n'ouvrit pas la portière. Il régnait un silence surnaturel. *La foule retient son souffle*, pensa Richards ironiquement.

– J'ai peur, dit-elle. J'ai si peur...

– Ils ne vous feront rien. Il y a trop de monde. On ne tue pas les otages quand il y a des témoins. C'est la règle du jeu.

Elle le regarda un moment. Il regretta soudain de ne pouvoir l'inviter à prendre un café. Tout en versant du lait – du vrai – dans sa tasse, il l'écouterait discourir des raisons de l'inégalité sociale, des chaussettes qui se roulent en boule dans les bottines en caoutchouc, et de l'importance d'être sérieux.

– Allez, madame Williams, l'encouragea-t-il sur un ton doucement moqueur. Le monde a les yeux fixés sur vous.

Elle se pencha dehors.

Derrière eux, six voitures de police et un autre véhicule blindé étaient arrivés, bloquant leur ligne de retraite.

La seule issue, c'est droit vers le ciel, se dit Richards avec philosophie.

Compte à rebours... 039

– Mon nom est Amélia Williams. Benjamin Richards m'a prise en otage. Il dit qu'il me tuera si vous ne nous laissez pas passer.

Dans le silence, Richards entendit la sirène lointaine d'un yacht.

Soudain, une voix assourdissante, asexuée, démesurément amplifiée, beugla :

– NOUS VOULONS PARLER À BEN RICHARDS.

– Non, murmura Richards.

– Il dit qu'il refuse.

– DESCENDEZ DE VOITURE, MADAME.

– Il va me tuer ! hurla-t-elle. Vous ne comprenez pas ce que je dis ? Au barrage précédent, on nous a tiré dessus ! Il dit que cela vous est égal de me tuer aussi. *Mon Dieu ! Aurait-il raison ?*

– Laissez-la passer ! cria une voix rauque dans la foule.

— DESCENDEZ OU NOUS TIRONS.

— Laissez-la passer ! Laissez-la passer ! se mit à scander la foule comme dans un match.

— DESCENDEZ...

Le rugissement de la foule couvrit la voix amplifiée. Une pierre jaillit, étoilant le pare-brise d'une voiture de police. Peu après, des bruits de démarreurs. Plusieurs véhicules se déplacèrent, ouvrant un étroit passage. La foule poussa des vivats, puis se tut, attendant l'acte suivant.

— TOUS LES CIVILS DOIVENT QUITTER LA ZONE DES OPÉRATIONS. DANGER DE TIRS. LES ATTROUPEMENTS SONT INTERDITS. NE GÊNEZ PAS LE TRAVAIL DES FORCES DE L'ORDRE. DISPERSEZ-VOUS. TOUTE INSUBORDINATION EST PASSIBLE DE DIX ANS D'EMPRISONNEMENT, D'UNE AMENDE DE DIX MILLE DOLLARS OU DES DEUX. JE RÉPÈTE : DISPERSEZ-VOUS...

— C'est ça ! cria une voix surexcitée. Pour que personne ne vous voie tirer sur la fille. A bas les flics !

La foule ne bougea pas. Une camionnette-studio jaune et noir arrivait. Elle s'immobilisa dans un hurlement de freins. Deux hommes en descendirent et commencèrent à installer une caméra.

Trois policiers se précipitèrent. Au terme d'une brève mais violente bagarre, l'un d'eux s'empara de la caméra et, la saisissant par le pied, la fracassa sur la chaussée. Un des journalistes eut le mauvais goût de protester. Il se fit matraquer.

Un gamin surgit de la foule et lança une pierre sur la nuque du flic qui maniait la matraque. Le flic s'écroula, éclaboussant la chaussée de sang. Aussitôt, une demi-douzaine d'hommes et de femmes se précipitèrent pour ramener l'enfant avant que les autres policiers n'aient le temps de réagir.

La foule devenait de plus en plus agitée. Des bagarres éclataient, mettant aux prises les bourgeois bien habillés et les loqueteux des taudis. Une femme maigre et sèche, portant un tablier de cuisine tout déchiré, empoigna une prospère matrone par les cheveux et la traîna sur le sol en la bourrant de coups de pied et en braillant.

– Quelle horreur ! laissa échapper Amélia.

– Que se passe-t-il ? demanda Richards, qui n'osait pas lever la tête.

– La police a matraqué un journaliste et cassé sa caméra. Des bagarres dans la foule.

– RENDEZ-VOUS, RICHARDS ! DESCENDEZ !

– Allez-y, dit-il à voix basse. Démarrez.

L'air-car se mit en mouvement, par à-coups hésitants.

– Ils vont tirer sur les sphères, dit-elle. Puis attendre que vous descendiez.

– Sûrement pas, dit Richards.

– Pourquoi ?

– Ils sont trop bêtes.

Ils ne le firent pas.

Ils passèrent lentement devant les voitures de police sagement alignées et les spectateurs aux yeux exorbités. Ceux-ci s'étaient instinctivement divisés en deux groupes. D'un côté de la rue, s'étaient rassemblés les membres des classes supérieures et moyennes : dames sortant du salon de coiffure, hommes en chemises Arrow et mocassins ; technicos en survêtements portant le nom de leur compagnie au dos et leur propre nom brodé en lettres dorées sur la poitrine ; femmes comme Amélia Williams elle-même, habillées pour sortir en ville. Leurs visages si différents avaient pourtant un trait commun : il leur manquait quelque chose, comme un portrait avec des trous en guise d'yeux, ou un puzzle où l'on a oublié une petite pièce. « Ce qui leur manque, songea Richards, c'est le désespoir. Pas de loups affamés dans ces ventres. Pas d'espoirs fous ni de cauchemars déchirants dans ces têtes. »

Ils étaient tous sur le trottoir de droite, du côté de la marina et du country-club qu'ils venaient de longer.

En face, il y avait les pauvres, les laissés-pour-compte. Nez rouges aux veines éclatées. Seins flasques et pendants. Cheveux emmêlés. Chaussettes blanches. Varices. Visages boutonneux. Yeux torves et bouches tordues de l'imbécillité.

Les policiers étaient de plus en plus nombreux. Richards n'était pas surpris par la rapidité de leur réaction. Même dans ce coin perdu, la matraque et le fusil étaient toujours à portée de main. Dans le chenil, les chiens au ventre creux attendaient. Les pauvres cambriolent les résidences inoccupées pendant la mauvaise saison. Leurs enfants attaquent en bandes les supermarchés. Il leur arrive d'écrire des obscénités sur les vitrines des magasins, en faisant plein de fautes d'orthographe. Les pauvres ont notoirement mauvais caractère ; la vue de manteaux de vison, de chromes et de complets à deux cents dollars leur inspire parfois des réactions déplaisantes. Et les pauvres ont besoin d'un Jack Johnson, d'un Muhammad Ali, d'un Clyde Barrow. Les pauvres attendaient, attentifs à tout.

« A droite, messieurs-dames, pensa Richards, vous voyez le beau monde. Ils sont mous et gras, mais fortement armés. A gauche, ne pesant que soixante kilos, mais coriaces et n'hésitant pas à porter des coups bas, nous avons les Braillards Affamés. Leur seule politique est celle de la faim : pour une livre de salami, ils assommeraient le Christ en personne. La ségrégation s'installe à Trifouillis-les-Oies. Observez-les bien. Ils ont une fâcheuse tendance à ne pas rester sur le ring, et à continuer à se battre dans la salle. Trouverons-nous un bouc émissaire qui les satisfasse les uns et les autres ? »

Lentement, à trente à l'heure, ils passèrent entre les deux murs humains.

Compte à rebours... 038

Une heure passa. Sur la route, les ombres s'allongeaient. Richards avait l'impression de flotter ; parfois, sans même s'en rendre compte, il perdait conscience pendant quelques instants. Avec précaution, il avait relevé sa chemise pour examiner sa nouvelle blessure. La balle avait creusé un profond sillon au-dessus de la hanche. Le sang avait fini par coaguler, mais au moindre effort, cela se remettrait à saigner. Sans importance. Il était fichu. Face à ce déploiement de forces, son plan était une rigolade. Il allait quand même continuer, combler un à un les vides, jusqu'à ce qu'un « fâcheux accident » ne réduise la voiture en un tas de ferraille fumante *(terrible méprise... le policier responsable a été suspendu en attendant le résultat de l'enquête... déplorons vivement la mort d'une personne innocente...*, annoncerait le speaker entre les cours de la Bourse et la dernière déclaration du pape). Mais ce n'était plus qu'un réflexe. Il était de plus en plus inquiet pour Amélia Williams, dont la seule faute avait été d'aller faire des courses en ville ce mercredi matin.

– Ils ont des tanks, dit-elle soudain d'une voix frêle, vibrant d'une hystérie contenue. Vous vous rendez compte ? Ils ont...

Elle se mit à pleurer en silence. Richards attendit un moment, puis demanda :

– Où sommes-nous ?

– W... Winterport. Je l'ai vu sur le panneau. Je... Je ne peux plus supporter cette attente. *Je ne peux plus !*

– Comme vous voudrez, dit-il.

Elle cilla une fois, puis secoua imperceptiblement la tête, comme pour s'éclaircir les idées.

– Quoi ?

– Arrêtez la voiture. Descendez.

– Ils vous tueront aussitôt...

– Je sais. Mais il n'y aura pas de sang, n'ayez crainte. Avec la puissance de feu dont ils disposent, il ne restera rien de la voiture. Ni de moi-même.

– Vous mentez. Si je descends, vous allez me tuer.

Pour toute réponse, il jeta le pistolet à ses pieds. L'arme tomba sans bruit sur l'épaisse moquette caoutchoutée.

– Si seulement j'avais un joint, dit-elle, l'esprit à la dérive. Quelque chose pour me changer les idées. Vous ne pouviez pas attendre une autre voiture, non ? Oh mon Dieu, mon Dieu... !

Richards fut soudain secoué par un rire rauque et sifflant. Cela lui faisait mal au côté, mais il continua à rire, les yeux fermés, jusqu'à ce que les larmes coulent sur ses joues.

– Il fait froid, sans pare-brise, dit-elle hors de propos. Vous pourriez mettre le chauffage ?

Dans la lumière déclinante, son visage n'était qu'un ovale de pâle lumière.

Compte à rebours... 037

– Nous arrivons à Derry, annonça-t-elle.

Les rues étaient noires de monde. Toute la ville semblait assemblée sur les trottoirs, les balcons et les vérandas, les petites pelouses. Les gens mangeaient des sandwiches graisseux et du poulet frit.

– La direction du jetport est indiquée ?

– Oui. Je suis les panneaux. Mais ils fermeront les accès, vous savez.

– Je menacerai une fois de plus de vous tuer.

– Vous voulez détourner un avion ?

– Je vais essayer.
– Vous n'avez pas une chance.
– Je le crains.
Ils tournèrent à droite, puis à gauche. Les haut-parleurs continuaient leur litanie monotone : dispersez-vous, ne gênez pas les forces de l'ordre...
– C'est vraiment votre femme ? Celle qu'ils ont montrée au Libertel ?
– Oui. Elle s'appelle Sheila. Notre bébé, Cathy, a dix-huit mois. Elle a la grippe, beaucoup de fièvre. Elle risque une pneumonie. J'espère qu'elle va mieux. C'est à cause d'elle que je fais tout cela.
Un hélicoptère passa, très bas, projetant l'ombre d'une gigantesque araignée. Une voix déformée par l'amplification exhorta Richards à libérer son otage. Lorsque le vacarme assourdissant eut cessé, elle dit :
– Votre femme ressemble à une clocharde. Elle pourrait prendre davantage soin d'elle-même.
– La photo ne lui ressemblait pas, dit Richards d'une voix éteinte. Ils l'ont retouchée pour lui donner cet aspect.
– Qui ferait une horreur pareille ?
– Les responsables des Jeux.
– Le jetport. Nous y sommes presque.
– Le portail est fermé ?
– Attendez, je ne vois pas bien... Ouvert, mais bloqué. Un tank. Son canon est pointé sur nous.
– Continuez et arrêtez-vous à dix mètres du tank.
Roulant au pas, l'air-car suivit la route à quatre voies entre deux rangées de voitures de police, derrière lesquelles la foule criait et s'agitait. Au-dessus du portail, un énorme panneau indiquait VOIGT AIRFIELD. Des deux côtés, de hautes clôtures électrifiées. Au-delà, des routes d'accès serpentaient entre des îlots couverts de mauvaises herbes jusqu'aux parkings et au terminal, qui cachait les pistes. En position sous le portail, un tank A-62, capable de tirer des projectiles d'un

quart de mégatonne. Le tout était dominé par une haute tour de contrôle ; dans les vitres de la cabine, se reflétait un soleil couleur de sang.

Avec un vrombissement assourdissant, un énorme Superbird Lockheed/G-A gris acier s'éleva dans le ciel avec une lenteur hallucinante.

– RICHARDS !

Amélia sursauta et le regarda, épouvantée. Il agita la main avec nonchalance. Ce n'est rien. *It's all right, Ma. I'm only dying.*

– L'ACCÈS DU JETPORT VOUS EST INTERDIT. RELÂCHEZ VOTRE OTAGE ET DESCENDEZ.

– Et maintenant ? demanda-t-elle. La situation est bloquée. Ils vont simplement attendre que...

– Chacun va y aller de son bluff, dit Richards. On verra bien ce que ça donne. Penchez-vous dehors et dites-leur que je suis blessé et à moitié fou. Dites-leur que je veux me rendre à la police de l'air.

– Vous allez faire *ça* ?

– La police de l'air ne dépend ni des Etats ni de l'Union fédérale. Elle est internationale depuis le traité de 1995. On racontait dans le temps que si on se rendait à elle, on était amnistié. Une histoire à dormir debout, bien sûr. Si je me rends, ils vont me remettre aux Chasseurs, qui m'emmèneront dans un coin sombre pour faire leur boulot.

Elle frissonna.

– Ils penseront peut-être que je suis assez bête pour le croire. Ne serait-ce que parce que c'est ma dernière chance. Allez-y.

Elle se pencha dehors. Richards se raidit. S'ils avaient l'intention de supprimer Amélia (un « déplorable accident » qui simplifierait énormément la situation), c'était le moment ou jamais. Sa tête et son buste étaient exposés sans défense à des centaines de fusils, de mitrailleuses et de canons. Une seule balle, et la farce serait terminée.

– Ben Richards veut se rendre à la police de l'air ! cria-t-elle. Il est blessé en deux endroits ! (Elle jeta un regard par-dessus son épaule et poursuivit d'une voix rendue aiguë par la terreur :) Il est à moitié fou et je... *j'ai si peur ! Pitié ! Ayez pitié de moi !*

Les caméras enregistraient tout. L'Amérique entière voyait ces images en direct : quatre minutes plus tard, elles allaient être diffusées dans le monde entier. Bien.. Excellent. Richards sentit l'espoir renaître.

Un long silence. Les sommités locales étaient probablement en train de se concerter.

– Vous vous en êtes très bien tirée, dit Richards.

Elle se tourna vers lui :

– Vous croyez que c'était difficile de paraître effrayée ? Ne vous imaginez pas que j'agis ainsi pour vous aider. Tout ce que je veux, c'est être débarrassée de vous.

Richards remarqua pour la première fois qu'elle avait une poitrine splendide, que son corsage cachait à peine. Un trésor de perfection.

Un grondement assourdissant la fit sursauter.

– C'est le tank. N'ayez pas peur, ce n'est que le tank.

– Il se déplace, annonça-t-elle. Ils vont nous laisser entrer.

– RICHARDS ! VOUS DEVEZ GAGNER LE PARKING 16. LA POLICE DE L'AIR VOUS Y ATTEND POUR VOUS PRENDRE EN CHARGE.

– Bien, dit-il dans un soupir. Allez-y. A sept ou huit cents mètres de l'entrée, arrêtez-vous.

– Vous finirez par me faire tuer, dit-elle avec découragement. J'ai envie d'aller aux toilettes, et vous allez me faire tuer...

L'air-car se souleva d'une dizaine de centimètres et glissa de l'avant avec un doux ronronnement. Au passage du portail, Richards, craignant une embuscade, se tapit sous le tableau de bord. Il ne se passa rien. Amélia s'engagea dans une allée revêtue de macadam noir. Un panneau avec une flèche indiquait : Parkings 16 à 20.

Partout, des policiers agenouillés derrière ces barrières jaunes. Richards savait qu'au moindre mouvement suspect, ils réduiraient l'air-car en miettes.

– Bien, dit-il. Arrêtez-vous ici.

La réaction fut instantanée :

– RICHARDS ! CONTINUEZ IMMÉDIATEMENT JUSQU'AU PARKING 16 !

– Dites-leur que je veux un porte-voix, murmura Richards. Ils devront le poser sur la route à vingt mètres devant nous. Je veux leur parler.

Elle cria le message, et ils attendirent. Une minute plus tard, un homme en uniforme bleu arriva en courant et posa un mégaphone sur la chaussée. Il resta un moment immobile, savourant peut-être le fait que cinq cents millions de personnes le regardaient, puis retourna à l'anonymat.

– Allez-y, au pas.

Arrivée au niveau du porte-voix, elle entrouvrit la portière et le saisit. Il était rouge et blanc, frappé du sigle G-A avec un éclair stylisé.

– Parfait. A quelle distance se trouve le terminal ?

Elle plissa les yeux.

– A peu près quatre cents mètres.

– Et le parking 16 ?

– A mi-distance.

– Bien... Très bien.

Se rendant compte qu'il se mordait compulsivement les lèvres, il essaya de se maîtriser. Il avait une forte migraine et son corps entier, empoisonné par l'adrénaline, lui faisait mal.

– Continuez jusqu'au parking 16, mais n'y entrez pas.

– Et ensuite ?

Il eut un sourire crispé.

– Ensuite, il faudra que j'abatte mes dernières cartes.

Compte à rebours... 036

Lorsqu'elle arrêta la voiture devant l'entrée du parking, la réaction ne se fit pas attendre :

– CONTINUEZ À ROULER. LA POLICE DE L'AIR VOUS ATTEND DANS LE PARKING. AVANCEZ.

Richards leva son mégaphone :

– DIX MINUTES. J'AI BESOIN DE RÉFLÉCHIR.

Le silence retomba.

– Vous rendez-vous compte que vous les poussez à bout ? demanda-t-elle d'une voix étrangement calme.

Il émit un curieux son sifflant, comme de la vapeur qui s'échappe d'un récipient sous pression. Peut-être était-ce un rire.

– Ils savent que je vais essayer de les baiser, dit-il. Mais ils ne savent pas comment.

– Vous n'y arriverez jamais. C'est évident, non ?

– C'est ce qu'on verra. J'ai peut-être une chance. Peut-être.

Compte à rebours... 035

– Ecoutez : lorsque les Jeux furent inaugurés, les gens disaient que c'était le spectacle le plus fabuleux du monde, que l'on n'avait jamais rien vu de pareil. En fait, cela n'avait rien d'original. Les gladiateurs de la Rome antique, c'était la même chose. Mais *La Grande Traque* me fait plutôt penser au poker. Quatre cartes sur la table et une carte cachée. On peut jouer pour quelques *cents*, mais ça ne devient intéressant que si on monte les enjeux. C'est là que la carte cachée devient de plus en plus importante. Et quand on engage tout ce qu'on possède, la maison, la voiture, les économies d'une vie entière, elle devient gigantesque, pareille au mont Everest. Evidemment, ils ont tout : les hommes, la puissance de feu, le temps. Nous jouons dans leur casino, avec leurs cartes et leurs jetons. Si je suis pris, je suis censé abandonner. Mais j'avais mis une carte en réserve. En appelant le correspondant à Rockland. Les journalistes, c'est mon dix de pique. Ils ne pouvaient pas faire autrement que de me laisser passer, parce que le monde entier regardait. C'est drôle parce qu'en fait, ils sont pris à leur propre piège : les gens sont convaincus que tout ce qu'ils voient au Libertel est vrai. Si le pays entier avait vu la police assassiner mon otage – une respectable bourgeoise –, ils n'auraient jamais douté que la police avait réellement fait cela, ce qui est contraire à la règle du jeu. Ils ne pouvaient pas prendre ce risque. Le système en a déjà trop fait avaler aux gens. Et puis, il faut compter avec les pauvres. Il y a déjà eu quelques bagarres. Si les policiers et les Chasseurs nous tiraient de nouveau dessus, Dieu sait ce qui se passerait. Quelqu'un m'avait conseillé de rester près des miens. Il ne se doutait pas à quel point il avait raison. Si les autorités m'ont traité avec tant de ménagements, c'est parce que les miens sont là.

Les pauvres, les gens comme moi, c'est le valet de pique.

La reine, la dame de cette histoire, c'est vous.

Je suis le roi, l'homme noir à l'épée.

Voilà mes cartes visibles : les médias, les réactions potentiellement dangereuses de la foule, vous, moi. Telles quelles, elles n'ont aucune valeur. Sans l'as de pique, c'est zéro. Avec l'as, c'est une combinaison imbattable.

Il s'empara soudain du sac à main d'Amélia (une

pochette en faux croco munie d'une chaînette argentée) et le fourra dans la poche de sa veste en toile.

– Je n'ai pas l'as, dit-il lentement. Si j'avais été un peu plus prévoyant, j'aurais pu l'avoir. Par contre, *j'ai* une carte cachée. Je vais donc bluffer.

– Vous n'avez pas une chance. Qu'est-ce que vous voulez faire avec mon sac... ? Les tuer à coups de rouge à lèvres ?

– Je pense qu'ils trichent depuis si longtemps qu'ils s'y laisseront prendre. Je pense qu'ils ont une frousse bleue.

– RICHARDS ! LES DIX MINUTES SONT ÉCOULÉES !

Il leva le mégaphone.

Compte à rebours... 034

– ÉCOUTEZ-MOI ATTENTIVEMENT !

Les bâtiments du terminal répercutaient sa voix résonnante sur la vaste étendue aride de l'aéroport.

– J'AI DANS MA POCHE SIX KILOS DE BLACK IRISH – DÉRIVÉ ULTRA-PUISSANT DE L'EXPLOSIF DYNACORE. UN PAIN DE SIX KILOS SUFFIT POUR TOUT RASER DANS UN RAYON DE CINQ CENTS MÈTRES. IL EST PROBABLE QUE LES RÉSERVOIRS DE KÉROSÈNE SAUTERONT AUSSI. SI VOUS NE SUIVEZ PAS MES INSTRUCTIONS À LA LETTRE, JE VOUS ENVOIE TOUS EN ENFER. UN ANNEAU DÉTONATEUR GENERAL ATOMICS EST FIXÉ SUR L'EXPLOSIF. J'AI DÉJÀ DÉGAGÉ LA LANGUETTE. UN GESTE ET VOUS POURREZ TOUS DIRE ADIEU À VOS CULS !

Des cris jaillirent de la foule. Ce fut un sauve-qui-peut général. Des hommes et des femmes affolés, aux visages figés de peur, se précipitèrent vers le portail. D'autres s'enfuirent à toutes jambes, s'éparpillant sur l'aéroport.

Les policiers, qui n'avaient plus à retenir la foule, restèrent néanmoins à leurs postes, mais on les sentait prêts à détaler. Amélia ne vit pas un seul visage incrédule.

– RICHARDS ? tonna la voix démesurément amplifiée, VOUS MENTEZ. DESCENDEZ DE VOITURE.

– JE *VAIS* DESCENDRE, MAIS D'ABORD, ÉCOUTEZ BIEN MES INSTRUCTIONS. JE VEUX UN JET, LES RÉSERVOIRS PLEINS, PRÊT À DÉCOLLER AVEC UN ÉQUIPAGE RÉDUIT. UN LOCKHEED-G-A OU UN DELTA SUPERSONIC. RAYON D'ACTION MINIMUM TROIS MILLE KILOMÈTRES. VOUS AVEZ QUATRE-VINGT-DIX MINUTES.

Eclairs de flashes. Caméras levées à bout de bras. Les journalistes aussi avaient peur, mais la pression psychologique exercée par cinq cents millions de téléspectateurs le leur faisait presque oublier. Et puis, ces spectateurs étaient réels. Et leur travail était réel. Tandis que les six kilos de Black Irish étaient peut-être issus de l'admirable esprit criminel de Ben Richards.

– RICHARDS ?

Un homme était descendu d'une des voitures garées une centaine de mètres plus loin, derrière le parking. Malgré la fraîcheur du soir, il ne portait qu'un pantalon sombre, et une chemise blanche dont les manches étaient retroussées jusqu'aux coudes. Il tenait un mégaphone, plus grand que celui de Richards. Malgré la distance, Amélia put voir qu'il portait des lunettes : les verres réfléchissaient la lumière du couchant.

– JE SUIS EVAN McCONE.

Richards connaissait ce nom, bien sûr. Un nom qui était censé lui glacer le sang dans les veines. Il ne fut pas surpris de constater qu'il *était* terrifié. Evan McCone était le chef des Chasseurs. Un descendant direct de J. Edgar Hoover et de Heinrich Himmler. Une incarnation de l'acier caché par le gant de velours cathodique du Réseau. Un père fouettard pour faire peur aux enfants désobéissants. Johnny, si tu ne cesses pas de jouer avec les allumettes, j'appelle McCone.

Il se souvint d'une voix surgie d'un rêve : *C'est toi, petit frère ?*

– NOUS SAVONS QUE VOUS MENTEZ, RICHARDS. SEUL UN CADRE G-A PEUT SE PROCURER DU DYNACORE. LIBÉREZ VOTRE OTAGE ET SORTEZ. NOUS NE VOULONS PAS LA TUER AUSSI.

Amélia eut un petit hoquet. Elle paraissait terriblement malheureuse.

– VOUS VIVEZ DANS LA STRATOSPHÈRE, PETIT HOMME. DANS LA RUE, ON TROUVE DU DYNACORE TOUS LES DEUX CENTS MÈTRES À CONDITION DE PAYER CASH. C'EST CE QUE J'AI FAIT. AVEC DES DOLLARS DE LA FÉDÉRATION DES JEUX. VOUS AVEZ QUATRE-VINGT-DIX MINUTES.

– PAS QUESTION.

– McCONE ?

– OUI ?

– JE VAIS VOUS ENVOYER LA FEMME. ELLE A VU LE BLACK IRISH.

L'expression d'Amélia était un mélange de stupéfaction et d'épouvante.

– EN ATTENDANT, VOUS FERIEZ BIEN DE VOUS ACTIVER UN PEU. QUATRE-VINGT-QUATRE MINUTES. JE NE BLUFFE PAS, PETIT CON. UNE BALLE ET ON SE RETROUVE TOUS SUR LA LUNE.

– Non, murmura-t-elle, plus pâle que jamais, le visage déformé par un rictus incrédule. Vous ne croyez tout de même pas que je vais mentir pour vous ?

– Si vous ne le faites pas, je suis mort. Je suis blessé, en état de choc, et je sais à peine ce que je dis, mais je *sais* que c'est le meilleur moyen, le seul. Quel que soit le résultat. Alors, écoutez-moi : le dynacore est gris-blanc, ferme et un peu gras au toucher. Ça...

– Non, non, non !

Elle se boucha les oreilles avec ses mains.

– Ça ressemble à un gros pain de savon. Mais très dense, très lourd. Maintenant, je vais vous décrire l'anneau détonateur. Il...

Elle éclata en sanglots.

– Je ne peux pas. Vous *savez* que je ne peux pas. Mon devoir de citoyen... Ma conscience... J'ai une...

– Je sais, je sais, dit Richards sèchement. Ils pourraient se rendre compte que vous avez menti. Mais ce ne sera pas le cas. Si vous confirmez mon histoire, ils craqueront complètement. Et je m'envolerai comme un oiseau.

– *Je ne peux pas !*

– L'anneau est doré, reprit-il. Environ cinq centimètres de diamètre. Il est attaché à une languette large comme un crayon. Le détonateur, au bout, est invisible, enfoncé dans l'explosif.

Elle se balançait d'avant en arrière en gémissant, la tête entre les mains, et se pétrissait les joues comme de la pâte à pain.

– Je leur ai dit que j'avais redressé la languette. La bague n'est donc plus collée à l'Irish. Vous avez pigé ?

Pas de réponse. Elle continua à gémir en se balançant.

– Je suis sûr que vous avez compris. Vous êtes une fille intelligente, non ?

– Je me refuse à mentir, dit-elle entre ses larmes.

– S'ils vous demandent d'autres détails, vous n'avez rien vu. Vous aviez trop peur pour regarder. Ou plutôt, si : depuis le premier barrage, j'ai passé un doigt dans l'anneau. Vous ne saviez pas ce que c'était, mais vous avez vu que je tenais une sorte d'anneau.

– Vous feriez aussi bien de me tuer tout de suite.

– Allez, l'encouragea-t-il, descendez.

Elle le regarda fixement, le regard vide, la bouche s'agitant convulsivement. La jolie bourgeoise pleine d'assurance, avec ses lunettes mauves et ses manières distinguées, avait bel et bien disparu. Reviendrait-elle jamais ? Richards en doutait. Pas complètement, en tout cas.

– Ne perdez pas de temps. Allez-y...

– Je... je... *Ô mon Dieu...*

Elle se jeta contre la portière et se précipita dehors, manqua tomber, mais se redressa aussitôt et se mit à courir de toutes ses jambes. Elle était très belle à la lumière des flashes, avec ses cheveux flottant dans le vent. Une déesse entourée de comètes.

Des fusils se levèrent, puis s'abaissèrent lorsque la foule se referma sur elle. Richards se redressa un instant pour jeter un coup d'œil par la vitre, mais ne vit rien.

Il se renfonça dans le siège, regarda sa montre, et attendit la fin du monde.

Compte à rebours... 033

L'aiguille des secondes fit deux tours de cadran. Puis deux autres. Deux autres encore.

– RICHARDS !

Il leva le mégaphone :

– SOIXANTE-DIX-NEUF MINUTES, McCONE !

Il fallait jouer le rôle jusqu'au bout. Ne pas lâcher un pouce de terrain. C'était la *seule* tactique possible. Jusqu'au moment où McCone donnerait l'ordre de faire feu à volonté. Cela ne semblait d'ailleurs plus avoir *tellement* d'importance.

Le silence s'éternisait. Enfin, après une pause interminable :

– IL NOUS FAUT DAVANTAGE DE TEMPS. AUCUN L/G-A OU DELTA DISPONIBLE SUR LE TERRAIN. IL FAUT EN FAIRE VENIR UN.

Elle l'avait fait. Ô stupéfiant miracle ! La femme

avait regardé l'abîme puis l'avait traversé. Sans filet. Sans possibilité de retour en arrière.

Evidemment, ils ne la croyaient pas. Ne jamais croire qui que ce soit, c'était leur métier. En ce moment même, ils devaient l'entraîner dans une pièce où attendaient les dix meilleurs interrogateurs de McCone. Et la litanie commencerait. *Nous savons que vous êtes très fatiguée, madame Williams... mais pourriez-vous nous décrire encore une fois... un petit détail ne nous paraît pas très clair... êtes-vous certaine que ce n'était pas le contraire... comment savez-vous... pourquoi... qu'a-t-il dit exactement, alors...*

Ils essayaient donc de gagner du temps. Ils allaient trouver une excuse, puis une autre. Pas d'avion. Un problème de carburant. Faire venir un équipage compétent. Une soucoupe volante plane au-dessus de la piste zéro-sept, il nous faut du temps. Et nous n'avons toujours pas réussi à la briser. Elle n'a pas tout à fait reconnu que votre explosif consiste en un sac de faux alligator contenant des Kleenex, un peu d'argent liquide, des cartes de crédit et une trousse de maquillage. Du temps...

Ce serait trop risqué de vous tuer tout de suite, vous comprenez.

– RICHARDS ?

– ÉCOUTEZ-MOI BIEN ! cria-t-il dans le mégaphone. IL VOUS RESTE SOIXANTE-QUINZE MINUTES. ENSUITE, TOUT SAUTE.

Pas de réponse.

En dépit de l'ombre de l'Apocalypse, un certain nombre de curieux étaient revenus, les yeux brillant d'une fièvre presque sexuelle. Des projecteurs étaient braqués sur la voiture ; leur lumière aveuglante, sans ombre, mettait en relief les bords déchiquetés du pare-brise cassé.

Richards essaya d'imaginer la petite pièce où ils

interrogeaient Amélia. En vain. La presse serait exclue, bien sûr. Les hommes de McCone s'efforceraient de la faire blêmir de peur. Mais jusqu'où oseraient-ils aller avec une femme qui n'appartenait pas au monde anonyme du ghetto ? Evidemment, il y avait les drogues. McCone en ferait sûrement venir. Des drogues qui feraient parler un Sioux. Des drogues qui feraient trahir à un prêtre tous les secrets du confessionnal.

Un peu de violence quand même ? Les aiguillons électriques modifiés qui avaient fait des miracles à Seattle, lors des émeutes de 2005 ? Ou la simple répétition des questions ? Toutes ces pensées étaient inutiles, bien sûr, mais Richards était incapable de les refouler.

Il entendit, au loin, le bruit caractéristique des turbines d'un jumbo Lockheed. *Son* avion. Le son lui parvenait par vagues successives, coupées par le terminal. Lorsqu'il cessa brusquement, il comprit que le jet commençait à faire le plein. L'affaire de vingt minutes, s'ils se dépêchaient. Mais il était peu probable qu'ils se dépêcheraient.

Bien, bien, voyez-moi ça... Toutes les cartes étaient abattues, sauf une. Sauf une.

McCone ? McCone, où en es-tu ? As-tu réussi à percer les secrets de son esprit ?

Sur l'aéroport baigné par les dernières lueurs du jour, acteurs et spectateurs attendaient.

Compte à rebours... 032

Richards s'aperçut que le vieux cliché était faux. Le temps ne s'arrête *pas*. Dans un sens, c'était regrettable. Cela aurait au moins mis fin à l'espoir.

A deux reprises, la voix amplifiée informa Richards qu'il mentait. Il leur répondit que, dans ce cas, ils feraient mieux d'ouvrir le feu. Cinq minutes plus tard, une autre voix lui dit que les ailerons du Lockheed étaient bloqués, et qu'il fallait préparer un autre appareil. Pas de problème, répondit Richards, à condition qu'il soit prêt dans les délais fixés.

Les minutes se succédaient avec une lenteur terrifiante. Encore vingt-six, vingt-cinq, vingt-deux, vingt *(elle n'a pas encore craqué ; mon Dieu, se pourrait-il...)*, dix-huit, quinze (de nouveau le bruit des réacteurs, de plus en plus aigu : l'équipage continuait la check-list), dix minutes, puis huit...

— RICHARDS ?

— J'ÉCOUTE.

— IL NOUS FAUT PLUS DE TEMPS. LES VOLETS RESTENT BLOQUÉS. NOUS ALLONS LES IRRIGUER AVEC DE L'HYDROGÈNE LIQUIDE, MAIS IL NOUS FAUT ABSOLUMENT DU TEMPS.

— VOUS EN AVEZ. SEPT MINUTES EXACTEMENT. ENSUITE, JE GAGNERAI LA PISTE PAR LA RAMPE DE SERVICE. J'AURAI UNE MAIN SUR LE VOLANT ET L'AUTRE SUR LE DÉTONATEUR. TOUTES LES BARRIÈRES SERONT OUVERTES. N'OUBLIEZ PAS QUE JE ME RAPPROCHERAI DE PLUS EN PLUS DES CITERNES.

— VOUS NE VOUS RENDEZ PAS COMPTE DE LA SITUATION. NOUS...

— ASSEZ DISCUTÉ, LES GARS. SIX MINUTES.

L'aiguille des secondes tournait sans jamais ralentir son rythme. Trois minutes. Deux. Une. Ils devaient suer sang et eau, dans la petite pièce qu'il était incapable d'imaginer. Il essaya en vain de conjurer l'image d'Amélia. Aussitôt, d'autres visages se superposaient, portrait composite réunissant Stacey et Bradley, Elton et Virginia Parrakis, le garçon au chien... Il se souvenait seulement qu'elle était douce et jolie, mais sans élan, sans âme, comme tant de femmes le sont grâce à Max Factor, à Revlon et aux chirurgiens esthétiques qui déplissent et remontent et affinent. Douce, douce. Mais dure, quelque part au fond. Pourquoi es-tu devenue dure, femme ? Et l'es-tu assez ? Ou bien vends-tu la mèche en ce moment même ?

Il sentit quelque chose de chaud couler sur son menton et s'aperçut qu'il s'était mordu les lèvres jusqu'au sang, en plusieurs endroits.

Il s'essuya automatiquement la bouche, marquant sa manche d'une tache en forme de larme, et mit la voiture en marche. Elle se souleva docilement, en vibrant à peine.

– RICHARDS ? SI VOUS AVANCEZ, NOUS TIRONS ! LA FILLE A PARLÉ ! NOUS SAVONS !

Il n'y eut pas un coup de feu.

Dans un sens, c'était presque frustrant.

Compte à rebours... 031

La rampe de service décrivait une longue courbe ascendante autour du terminal futuriste, qui semblait coulé d'une pièce dans le verre. Partout, des policiers, équipés de toutes les armes imaginables, des grenades lacrymogènes aux roquettes antichars. Leurs visages étaient uniformément inexpressifs et *plats.* Assis normalement au volant, Richards roulait lentement, suivi par leurs regards vides et bovins. « C'est ainsi, se dit-il, que les vaches doivent regarder un fermier soudain devenu fou, qui se roule par terre en hurlant et en crachant. »

La barrière donnant accès à l'aire de service (ATTENTION – DÉFENSE DE FUMER – INTERDIT SAUF AU PERSONNEL AUTORISÉ) était levée ; Richards la franchit, roulant toujours très lentement. Au passage, il vit des camions-citernes pleins de carburant à haut indice d'octane, des avions de tourisme, un minuscule hélicoptère. Au-delà, commençait la piste : béton noirci de pétrole, joints de dilatation. Et son oiseau l'attendait : un énorme jumbo-jet dont les douze turbines grondaient doucement. Au-delà, les pistes s'éloignaient à perte de vue, semblant se rapprocher vers l'horizon. Quatre hommes en salopette mettaient en place la passerelle d'accès. Un instant, Richards crut voir les marches montant à l'échafaud.

Comme pour compléter cette image, le bourreau apparut, surgissant soudain de l'ombre projetée par l'avion. Evan McCone.

Richards le regarda avec la curiosité d'un homme qui se trouve pour la première fois face à une célébrité. Même s'il l'a vue des centaines de fois au cinéma ou sur le petit écran, il lui faut cela pour se convaincre de sa réalité. Mais, dans un second stade, la réalité prend un caractère hallucinatoire, comme si cette entité n'existait pas vraiment en dehors de son image.

C'était un homme de petite taille, portant des lunettes cerclées d'or, avec un début de ventre sous son complet parfaitement coupé. Selon la rumeur, il portait des chaussures à talons surélevés ; si c'était le cas, cela ne se voyait pas. Le tout mis dans le tout, il ne ressemblait en rien à un monstre, à l'héritier d'organisations aussi redoutables que le F.B.I. ou la C.I.A. Rien n'indiquait l'homme qui avait perfectionné la technique de la voiture roulant tous phares éteints dans la nuit, du gourdin de caoutchouc, des questions insinuantes sur l'épouse ou les enfants restés à la maison. L'homme qui avait maîtrisé le spectre entier de la terreur.

– Ben Richards ?

Il était assez près pour ne pas avoir besoin du mégaphone. Sa voix était douce, sans être le moins du monde efféminée.

– Oui.

– Je suis détenteur d'un mandat délivré par la

Fédération des Jeux, division accréditée de la Commission des communications du Réseau, en vue de votre appréhension et de votre exécution.

– Avez-vous vraiment besoin de ce bout de papier ?

McCone eut un sourire complaisant.

– Toutes les formalités ont été respectées, je puis vous l'assurer. Je crois qu'il faut toujours respecter les règles, pas vous ? Non, bien sûr. C'est bien pourquoi vous êtes toujours en vie. Savez-vous que vous avez battu le record de *La Grande Traque* de plus de huit jours ? Vous l'ignoriez, n'est-ce pas ? C'est pourtant le cas. Et après votre stupéfiant départ du Y.M.C.A. de Boston, la cote Nielsen de l'émission a monté de douze points.

– Fantastique !

– Certes, nous avons bien failli vous coincer au cours de l'intermède de Portland. Dans son dernier souffle, Parrakis a juré que vous étiez descendu à Auburn. Nous l'avons cru : le petit homme était manifestement si faible, si épouvanté...

– Manifestement, répéta Richards avec douceur.

– Mais votre dernière improvisation dépasse tout. Je vous salue bien bas. Dans un sens, je regrette presque que le jeu doive prendre fin. Je n'aurai sans doute jamais plus l'occasion de me mesurer à un adversaire aussi inventif.

– Comme c'est dommage.

– Toujours est-il que c'est terminé. La femme a craqué. Nous avons utilisé le Penthotal. Rien de bien nouveau, mais c'est efficace. (Il tira de sa poche un petit automatique.) Descendez, monsieur Richards. En témoignage d'admiration je vous ferai la faveur d'agir ici même, loin des caméras. Votre mort prendra place dans une relative intimité.

– Eh bien, préparez-vous, dit Richards.

Il souriait.

Il ouvrit la portière et sortit. Les deux hommes se firent face sur le béton nu de l'aire de service.

Compte à rebours... 030

McCone mit le premier fin à l'impasse: il rejeta légèrement la tête en arrière et éclata d'un rire de velours.

– Ah! vous êtes vraiment fabuleux, monsieur Richards. Quel talent ! Pour vous montrer à quel point je l'apprécie, je vais être honnête : la femme n'a pas craqué. Elle s'obstine à répéter que ce paquet qui gonfle votre poche est du Black Irish. Nous ne pouvons pas lui administrer du Penthotal : ce produit laisse des traces. Un simple E.E.G. prouverait que nous l'avons utilisé. Nous avons fait venir de New York trois ampoules de Canogyn, qui ne laisse aucune trace. Nous les recevrons dans quarante minutes. Trop tard, hélas, pour vous arrêter. Mais elle *ment*, c'est évident. Sans vouloir vous offusquer en témoignant d'un certain élitisme, je dirais que les classes moyennes ne mentent bien qu'au sujet du sexe. Puis-je faire une autre observation ? Je peux, n'est-ce pas ? (McCone sourit.) Je suppose qu'il s'agit de son sac à main. Nous avons remarqué qu'elle n'en avait pas, alors qu'elle venait de faire des achats en ville. Nous sommes très observateurs, vous savez. Qu'est-il arrivé à son sac, Richards, s'il n'est pas dans votre poche ?

Il ne releva pas le défi.

– Tirez, si vous en êtes si sûr.

McCone écarta les bras.

– Ce n'est pas l'envie qui nous en manque ! Mais on ne prend pas de risques avec la vie humaine. Cela ressemble trop à la roulette russe. La vie humaine a un caractère *sacré*. Le gouvernement – *notre* gouvernement – en est pleinement conscient. Nous sommes humains.

– Sûrement, dit Richards avec un sourire féroce.

McCone cilla rapidement, à deux reprises.

– Par conséquent, vous comprenez...

Richards secoua sa léthargie. Cet homme était en train de l'hypnotiser. Les minutes passaient, un hélico arrivait de Boston ou d'ailleurs avec le sérum de vérité (quand McCone disait quarante minutes, cela voulait dire vingt), et il restait là comme un imbécile, à écouter ses histoires à dormir debout.

– Ecoutez-moi, l'interrompit Richards brutalement. Trêve de paroles. Quand vous lui ferez la piqûre, elle chantera la même chanson. Juste pour votre information, le Black est là. C'est clair ?

Il soutint un moment le regard de McCone, puis commença à avancer.

– A un de ces jours, petit merdeux.

McCone ne broncha pas. Il s'écarta légèrement au passage de Richards, qui ne daigna même pas le regarder. Leurs manches se frôlèrent.

– Egalement pour votre information, je crois savoir qu'il faut une traction de trois livres pour déclencher le détonateur. Je dois en être à deux livres et demie. A peu de chose près.

Il eut la satisfaction d'entendre le souffle de McCone s'accélérer légèrement.

– Richards ?

Du haut de la passerelle, il se retourna. McCone avait le visage levé vers lui ; ses lunettes lançaient des éclairs.

– Lorsque vous aurez décollé, nous vous abattrons avec un missile sol-air. Officiellement, vous aurez actionné le détonateur par mégarde. Reposez en paix.

– Vous n'en ferez rien.

– Non ?

Souriant, Richards lui donna une (pas très bonne) raison :

– Nous volerons très bas, au-dessus de régions très peuplées. Ajoutez les réservoirs de carburant aux six kilos d'Irish, vous voyez ce que ça peut donner. Le risque est trop gros. Vous le feriez si vous étiez certain de vous en tirer – mais ce n'est pas le cas. (Après une pause, il ajouta :) Vous qui êtes si intelligent, aviez-vous prévu le coup du parachute ?

– Bien entendu, répondit McCone, imperturbablement. Il est dans la cabine avant. Mais c'est vieux comme le monde. Avez-vous encore d'autres tours dans votre sac, monsieur Richards ?

– Je suppose que vous n'avez pas été assez bête pour trafiquer le parachute ?

– Oh non ! Trop visible. Et j'imagine que vous tireriez sur votre détonateur imaginaire juste avant d'atterrir. Cela ferait beaucoup d'effet.

– Au revoir, petit homme.

– Au revoir, monsieur Richards. Et bon voyage ! (Il eut un petit rire.) Je sais que vous appréciez la franchise. Je vais donc vous montrer une autre de mes cartes. Rien qu'une. Avant de passer à l'action, nous attendrons de voir ce que donne le Canogyn. Quant au missile, vous avez parfaitement raison. Pour le moment, ce n'est que du bluff. Mais nous ne sommes pas pressés. Je ne me trompe jamais, vous savez. *Jamais.* Je sais que vous bluffez. Nous avons donc le temps. Mais je vous retarde, monsieur Richards. Au revoir.

Il agita la main.

– A tout de suite, répondit Richards, suffisamment bas pour que McCone ne puisse pas l'entendre.

Compte à rebours... 029

La cabine de première, divisée en trois sections par de larges couloirs, était décorée de panneaux de séquoïa véritable. Une épaisse moquette lie-de-vin couvrait le sol. A l'avant, un écran 3-D tenait toute la cloison séparant la cabine de l'office. Le parachute, un gros sac de toile plastifiée, était posé en évidence sur le siège 100. Richards le tapota amicalement au passage et traversa l'office. Quelqu'un avait même pensé à faire du café.

Il franchit une autre porte. Un étroit couloir menait à la cabine de pilotage. A droite, le radio, un homme d'une trentaine d'années, au visage prématurément ridé ; il lança un regard noir à Richards, puis retourna à ses instruments. A gauche, le navigateur, assis face à ses cartes et à ses écrans.

– Le gars qui va tous nous faire tuer est arrivé, annonça-t-il dans son micro, en fixant Richards d'un regard glacial.

Richards ne sut que dire. Après tout, l'homme avait presque certainement raison. Il boitilla jusqu'au cockpit.

Le pilote avait au moins cinquante ans, un vieux loup au nez de buveur invétéré – mais son regard clair et perspicace indiquait que son organisme assimilait parfaitement l'alcool. Le copilote avait une dizaine d'années de moins, et une luxuriante chevelure rousse qui retombait sur ses épaules.

– Bonjour, monsieur Richards, dit le pilote. Excusez-moi si je ne vous donne pas la main. Je suis le capitaine aviateur Don Holloway. Mon copilote, Wayne Duninger.

– Compte tenu des circonstances, je ne peux pas dire que je sois enchanté de faire votre connaissance, dit ce dernier.

Un tic involontaire agita la bouche de Richards.

– Dans le même esprit, permettez-moi d'ajouter que je préférerais être ailleurs. Capitaine Holloway, je suppose que vous êtes en communication avec McCone ?

– Bien sûr. Kippy Friedman, notre radio, maintient le contact en permanence.

– Je veux lui parler.

Holloway lui tendit un micro avec des gestes précis de chirurgien.

– Continuez votre check-list, dit Richards. Nous décollons dans cinq minutes.

– Désirez-vous que nous armions les boulons explosifs des portes arrière ? demanda Duninger avec empressement.

– Occupez-vous de vos oignons, rétorqua Richards.

Il était temps d'en finir, de tenter l'ultime pari. Il avait l'impression que son cerveau allait éclater. Ce jeu lui mettait les nerfs à vif. *Je vais monter la limite jusqu'au ciel, McCone.*

– Monsieur Friedman ?

– Oui.

– Ici Richards. Passez-moi McCone.

Trente secondes de silence. Holloway et Duninger ne le regardaient plus. Ils étaient trop occupés à vérifier tous les systèmes de l'avion, de la fermeture des portes à la pressurisation, aux commandes et mille autres encore. Les puissantes turbines G-A se remirent à vrombir, de plus en plus fort. Enfin, à peine audible dans ce vacarme, la voix de McCone :

– Ici McCone.

– Ramène-toi, petit con. Avec la fille. Je vous emmène faire un tour. Si vous n'êtes pas en haut de la passerelle dans trois minutes, je tire sur l'anneau.

Duninger se raidit sur son siège-baquet, comme s'il venait de recevoir une balle dans les tripes. Lorsqu'il se remit à réciter les numéros de la check-list, sa voix était mal assurée.

S'il a des couilles, c'est là qu'il relève mon défi. En exigeant la présence de la femme, je me trahis. En a-t-il vraiment, ou pas ? Là est la question.

Richards attendit.

Il n'avait pas besoin de consulter une montre. Les secondes s'égrenaient dans sa tête.

Compte à rebours... 028

Lorsque McCone réagit, sa voix avait un ton inhabituel, bravache. La peur ? Pas impossible. Richards se sentait déjà plus léger. Tout allait peut-être se mettre en place.

– Vous êtes complètement marteau, Richards. Je ne...

– Ecoutez-moi bien, l'interrompit Richards. A propos, n'oubliez pas que cette conversation est captée par tous les radio-amateurs dans un rayon de cent kilomètres. Vous ne travaillez pas dans le noir, petit homme. Vous êtes sous les feux de la rampe. Vous viendrez, parce que vous êtes trop trouillard pour risquer votre peau. Et la femme viendra parce je lui ai dit où j'allais.

Faiblard. Frappe plus fort. Ne lui laisse pas le temps de réfléchir.

– Si par miracle vous survivez quand je tirerai l'anneau, vous ne trouverez même plus un boulot de cueilleur de pommes. (Il serrait le sac à main d'Amélia tellement fort que ses mains lui en faisaient mal.) Il n'y a donc pas à discuter. Trois minutes. Terminé.

– Un moment, Ri...

Richards rendit le micro à Holloway, qui le prit avec des doigts qui tremblaient à peine.

– Vous avez du cran, lui dit Holloway lentement. Ça, on ne peut pas le nier.

– Il lui en faudra encore plus pour tirer sur cet anneau, fit observer Duninger.

– Continuez votre travail, s'il vous plaît. Je vais aller

accueillir nos hôtes. Nous décollons dans cinq minutes.

Il regagna la cabine, repoussa le parachute vers le hublot, et s'assit, les yeux fixés sur la porte d'accès. Bientôt, il en aurait le cœur net. Très bientôt.

Sa main ne pouvait s'empêcher de triturer le sac d'Amélia Williams.

Dehors, il faisait presque nuit.

Compte à rebours... 027

Ils montèrent la passerelle avec quarante-cinq secondes d'avance. Amélia, manifestement terrorisée, haletait ; ses cheveux étaient ébouriffés par le vent, que rien n'arrêtait dans ce désert fait de main d'homme. En apparence, McCone n'avait pas changé : il restait tiré à quatre épingles, presque serein, mais son regard brûlait d'une haine glaciale proche de la psychose.

– Vous n'avez pas gagné, loin de là, dit-il sans élever la voix. Nous n'avons même pas commencé à abattre nos atouts.

– Heureux de vous revoir, madame Williams, dit Richards avec douceur.

Comme s'il lui avait donné le signal, ou tiré une ficelle invisible, elle se mit à pleurer. Pas des sanglots hystériques, mais un gémissement désespéré qui venait du ventre. L'émotion était si forte qu'elle vacilla, puis s'écroula sous l'épaisse moquette, où elle resta à genoux, le visage entre les mains ; sa jupe ample l'entourait comme une corolle, la faisant ressembler à une fleur fanée.

Richards eut pitié d'elle. Un sentiment bien pauvre, la pitié, mais c'était tout ce dont il était capable.

– Monsieur Richards ?

C'était la voix de Holloway, à l'intercom.

– Oui ?

– Est-ce que... Nous avons le feu vert ?

– Oui.

– Dans ce cas, je vais donner l'ordre de retirer la passerelle et de condamner les portes. Ne soyez pas trop nerveux avec ce machin.

– D'accord, capitaine. Merci.

– Vous vous êtes trahi en me demandant d'amener la femme. Vous le savez, n'est-ce pas ?

L'expression de McCone était à la fois souriante et haineuse, comme s'il était habité d'une monstrueuse paranoïa. Il ne cessait de serrer et de desserrer les poings.

– Ah vraiment ? Et comme vous ne vous trompez jamais, vous allez sans doute me régler mon compte avant que nous décollions. Ce serait merveilleux, n'est-ce pas ? Vous seriez le héros de cette histoire, pur et sans reproche...

McCone entrouvrit les lèvres en une grimace hideuse, puis les serra jusqu'à ce qu'elles deviennent exsangues. Il ne fit pas un geste. L'avion se mit à vibrer légèrement, tandis que le bruit des turbines devenait plus aigu.

Lorsque la porte se ferma, le silence revint. Se penchant un peu pour regarder par le hublot, Richards vit les hommes en salopette éloigner la passerelle.

Et nous voilà tous sur l'échafaud ! pensa-t-il.

Compte à rebours... 026

Le signal ATTACHEZ VOS CEINTURES/DÉFENSE DE FUMER s'alluma. Lentement, le lourd jumbo-jet commença à tourner sur lui-même pour se mettre dans l'alignement de la piste. Grâce à ses lectures et au Libertel, Richards avait une certaine connaissance de l'aviation, mais c'était seulement la seconde fois qu'il prenait l'avion. A côté de cet énorme jumbo, la navette Harding-New York faisait figure de joujou. Les puissantes vibrations transmises par la coque étaient presque effrayantes.

– Amélia ?

Elle releva lentement la tête. Les larmes avaient laissé des traînées grises sur son visage ravagé.

– Hein ?

Sa voix était lointaine, comme si elle sortait d'un rêve.

– Venez à l'avant, nous partons. (Il se tourna vers McCone.) Quant à vous, petit homme, allez où il vous plaira. Mais n'embêtez pas l'équipage.

Sans un mot, McCone alla s'asseoir près des rideaux séparant la première classe de la seconde. Apparemment pas satisfait, il se releva presque aussitôt et gagna l'arrière de l'appareil.

Se tenant aux dossiers des fauteuils, Richards s'approcha d'Amélia.

– Venez. Si ça ne vous dérange pas, je prendrai le fauteuil près du hublot. Je n'ai pris l'avion qu'une seule fois auparavant.

Il s'assit. Elle s'installa à côté de lui, puis l'aida à boucler sa ceinture pour qu'il n'ait pas à sortir la main de sa poche. Il hasarda un sourire, mais elle se contenta de le regarder d'un air hébété.

– Vous êtes comme un mauvais rêve, dit-elle au bout d'un moment. Un rêve qui ne finit jamais.

– Je suis vraiment désolé.

– Je n'ai pas... commença-t-elle.

Il posa la main sur sa bouche pour l'empêcher de continuer, et secoua énergiquement la tête.

L'appareil continua à tourner avec une infinie lenteur, dans le grondement sourd des turbines, puis roula lourdement vers les pistes, maladroit comme un canard se dirigeant vers la mare. Il était si énorme que Richards avait l'impression qu'il était en réalité immobile, et que le paysage défilait autour de lui. *Tout cela n'est peut-être qu'une illusion ; nous sommes dans un studio, des caméras cachées projettent des images sur les hublots...*

Le jet marqua un arrêt, tourna de vingt-cinq degrés sur la droite, puis repartit. Il passa les pistes 3 et 2, puis s'immobilisa de nouveau.

A l'intercom, Holloway annonça d'une voix dénuée d'expression :

– Nous décollons.

L'avion se remit en mouvement, roulant de plus en plus vite, mais sans dépasser la vitesse d'un air-car. Soudain, dans un rugissement de moteurs, une accélération terrifiante plaqua Richards contre le siège.

Dehors, les feux délimitant la piste défilaient si vite qu'ils formaient presque une ligne continue. Le régime des turbines augmentait par paliers successifs, faisant de nouveau vibrer la coque.

Il remarqua soudain qu'Amélia, les yeux fermés, très pâle, les dents serrées, se cramponnait aux accoudoirs. *Mon Dieu, elle n'a jamais dû prendre l'avion non plus !*

– Ça y est ! dit-il. On est parti, on est parti...

Il le répéta cinq ou six fois de suite, incapable de s'arrêter.

– Pour où ? murmura-t-elle.

Richards ne répondit pas. Il commençait tout juste à le savoir.

Compte à rebours... 025

Les deux sentinelles de garde à l'entrée est de l'aéroport regardaient l'immense avion de ligne filer sur la piste, emplissant l'air d'un rugissement assourdissant.

– Il est parti. T'as vu ça ? Il est parti ! s'exclama le premier soldat.

– Pour où ? demanda l'autre.

Ils virent la longue forme noire se détacher du sol et monter vers le ciel à un angle improbable, à la fois aussi tangible et prosaïque qu'un cube de beurre sur une assiette, et totalement irréelle, comme si sa vitesse l'emportait dans un monde défiant l'imagination.

– Tu crois qu'il l'a vraiment ?

– Comment veux-tu que je le sache ?

Le rugissement du jet ne leur parvenait plus que par vagues successives.

– Mais je vais te dire un truc. Je suis content qu'il ait emmené ce putain de McCone.

Le premier soldat releva son col et cessa de regarder les clignotants verts et orange qui s'éloignaient dans la nuit.

– Je peux te poser une question personnelle ?

– Tant que je ne suis pas obligé d'y répondre...

– Tu aimerais qu'il réussisse son coup ?

Le soldat mit très longtemps à répondre, tandis que le bruit du jet devenait de plus en plus lointain, jusqu'à se confondre avec le bruissement du sang dans ses oreilles.

– Oui.

– Tu crois qu'il y arrivera ?
Un sourire, croissant pâle dans l'obscurité.
– Ce que je crois, mon ami, c'est que ça va faire un grand boum.

Compte à rebours... 024

La terre avait disparu.
Richards ne pouvait détacher son regard du hublot. Au cours du vol précédent, il avait dormi, comme pour mieux se préparer à celui-ci. Le ciel avait une couleur de vieux porto. Des étoiles hésitantes commençaient à scintiller. A l'ouest, seule une mince ligne d'un orange cruel indiquait que le soleil n'était pas couché depuis longtemps. En se mettant tout contre le hublot, il pouvait voir un petit essaim de lumières : sans doute Derry.
– Monsieur Richards ?
Il sursauta comme si on l'avait piqué avec une épingle.
– Oui ?
– Nous sommes actuellement en attente. Autrement dit, nous décrivons des cercles au-dessus de l'aéroport. Vos instructions ?
Richards se donna le temps de réfléchir mûrement. Il ne fallait surtout pas leur en dire trop.
– A quelle attitude minimum – absolument minimum – pouvez-vous voler ?
Après une longue pause pour consulter ses collègues, Holloway répondit prudemment :
– Nous pourrions descendre jusqu'à deux mille pieds. C'est contraire aux règlements de la N.S.A., mais...
– Ne vous inquiétez pas de ça. Je suis dans une

certaine mesure obligé de me mettre entre vos mains, monsieur Holloway. Comme on vous en a certainement informé, je ne connais pas grand-chose à l'aviation. Mais n'oubliez pas que les gens qui ont un tas d'idées brillantes pour me baiser sont au sol et ne risquent rien. Si vous me racontez des histoires et que je m'en aperçois...

– Personne ici n'a l'intention de vous mentir, monsieur Richards. La seule chose qui nous intéresse, c'est de poser tranquillement cet engin sur une piste.

– D'accord, d'accord.

Il se plongea de nouveau dans ses pensées. A côté de lui, Amélia Williams se tenait très raide, les mains sur les genoux.

– Mettez le cap à l'ouest, dit-il brusquement. A deux mille pieds. Et dites-nous ce qu'il y a d'intéressant en route.

– D'intéressant ?

– Le nom des villes que nous survolons, dit Richards. Je n'ai pris l'avion qu'une fois auparavant.

– Ah !

Holloway paraissait soulagé.

L'avion s'inclina imperceptiblement. L'horizon encore légèrement lumineux apparut dans le hublot, puis disparut. *Nous volons à la poursuite du soleil*, pensa-t-il. *C'est stupéfiant...*

Il était 18 h 35.

Compte à rebours... 023

Le dos du siège placé devant lui fut une révélation. Dans la pochette, se trouvait un livret d'instructions. En cas de turbulences, mettez votre ceinture. En cas de dépressurisation subite, appliquez sur votre visage le masque à oxygène se trouvant juste au-dessus de vous. En cas d'ennuis de moteurs, attendez les instructions de l'hôtesse. En cas de mort subite par explosion, vos travaux dentaires pourront permettre votre identification. Si vous avez de mauvaises dents.

Un petit Libertel ultra-plat était encastré dans le dossier. Un avis informait le spectateur que, compte tenu de la vitesse, les interférences entre divers canaux étaient parfois inévitables.

Dans la pochette, il y avait également un bloc de papier à lettres à en-tête de la compagnie aérienne et un stylo G-A attaché à une chaînette. Richards prit le bloc sur ses genoux et écrivit maladroitement :

« Il y a 99 chances sur 100 pour qu'ils aient planqué un micro-émetteur quelque part sur vous : chaussures, vêtements ou même cheveux. McCone est à l'écoute et attend que vous vous trahissiez. Dans un moment, feignez une crise d'hystérie, suppliez-moi de ne pas tirer sur l'anneau. Cela améliorera nos chances. Vous êtes d'accord ? »

Elle inclina affirmativement la tête. Après une brève hésitation, Richards marqua :

« Pourquoi leur avez-vous menti ? »

Elle lui prit le stylo de la main et le maintint un moment suspendu au-dessus du papier avant d'écrire :

« Sais pas. Après ce que vous m'avez dit, je me sentais coupable. Un assassin. Votre femme. Et vous paraissiez si... » Elle hésita avant de tracer le mot : « ... pitoyable. »

Richards eut un pâle sourire – cela faisait mal. Comme elle n'ajoutait rien, il lui reprit le stylo : « Commencez votre numéro dans environ cinq minutes. »

Elle fit un signe d'assentiment. Richards roula la feuille de papier en boule, la fourra dans le cendrier de l'accoudoir, gratta une allumette et y mit le feu. Une flamme claire s'éleva, éveillant des reflets dans le hublot. Lorsque les cendres eurent fini de rougeoyer, il les écrasa songeusement.

Quelques minutes plus tard, Amélia se mit à gémir. C'était si convaincant que Richards pensa d'abord, *quelle actrice !* Puis il lui vint à l'esprit qu'elle ne jouait probablement pas la comédie.

– Je vous en supplie, disait-elle... Par pitié, ne faites pas ça. Ne forcez pas ce type à... à vous pousser à bout. Je ne vous ai jamais rien fait. Je veux rentrer chez moi. Revoir mon mari et ma petite fille. Elle a six ans. Elle doit se demander ce que fait sa maman. Ayez pitié de nous...

Richards haussa involontairement les sourcils. Il ne s'attendait pas à ce qu'elle joue si bien son rôle. Pas *si* bien.

– Il est stupide, dit-il, essayant de prendre un ton naturel, comme s'il ne s'adressait pas à un public invisible. Mais pas stupide à ce point-là. N'ayez crainte, madame Williams, tout se passera bien.

– C'est facile à dire, pour vous. Vous n'avez rien à perdre.

Il ne répondit pas. Ce qu'elle disait était trop vrai. Rien, en tout cas, qu'il n'eût déjà perdu.

– Montrez-le-lui, poursuivit-elle sur un ton geignard. Au nom du ciel, montrez-le-lui ! Il sera bien obligé de vous croire, alors. Et il donnera l'ordre à ses hommes de ne pas passer à l'action. Ils ont des missiles braqués sur nous. Je l'ai entendu.

– Impossible, répondit Richards. J'ai déjà relevé la languette au maximum. Un seul faux mouvement en l'ôtant de ma poche, et ce serait la fin... Et puis, ajouta-t-il sur un ton légèrement moqueur, je ne crois pas que je le lui montrerais même si c'était sans danger. Contrairement à moi, ce salaud a beaucoup à perdre. Autant le laisser dans l'incertitude.

– Je ne pourrai plus supporter ça longtemps, dit-elle avec découragement. J'ai des fois envie de me jeter sur vous, pour en finir une fois pour toutes. C'est ce qui nous attend de toute façon, n'est-ce pas ?

– Vous n'avez... commença-t-il, lorsque le rideau séparant les deux classes s'écarta brusquement, livrant passage à McCone.

Son expression était calme, mais il ne pouvait cacher une pâleur caractéristique, que Richards reconnut immédiatement. La pâleur cireuse de la peur.

– Madame Williams ? dit-il vivement. Café, s'il vous plaît. Pour sept. Je crains que pendant ce voyage vous ne deviez faire office d'hôtesse de l'air.

Elle se leva mécaniquement, sans regarder Richards ni McCone.

– Où... ?

– A l'avant. Suivez votre odorat.

Il avait parlé avec une douceur presque onctueuse, et ses gestes étaient lents et contrôlés – mais il était prêt à plonger sur Amélia si jamais celle-ci faisait mine d'attaquer Richards.

Elle s'engagea dans l'allée sans se retourner.

McCone regarda fixement Richards pendant un bon moment, puis lui dit :

– Laisseriez-vous tomber tout ça si je pouvais vous promettre l'amnistie, mon vieux ?

– *Mon vieux*... Dans votre bouche, ça donne envie de dégobiller.

Richards regarda songeusement sa main libre, pleine de griffures et de sang séché après son « trek » dans les forêts du sud du Maine.

– Aussi dégueulasse que les hamburgers pleins de graillons qu'on vous sert à Co-Op City. Tandis que vous... (Il regarda la bedaine bien dissimulée du chef des Chasseurs)... on voit que vous êtes nourri au steak. Dans le filet.

– L'amnistie, répéta McCone sans réagir à l'insulte. Qu'en pensez-vous ?

– Je pense que c'est un mensonge. Un énorme et

gras mensonge. (Il sourit.) Vous vous imaginez que je ne sais pas que vous n'êtes qu'un simple domestique ?

McCone rougit jusqu'aux oreilles. Son visage ne devint ni rose ni cerise, mais carrément rouge brique.

– Ça me fera plaisir de m'occuper de vous avec les copains, siffla-t-il entre ses dents. Nous avons des balles à haute vélocité emplies de gaz, qui explosent à l'impact. Votre tête ressemblera à un concombre trop mûr jeté du haut d'un gratte-ciel. Mieux, une balle dans les tripes...

– *On y va !* rugit soudain Richards. *Je tire l'anneau !*

McCone poussa un cri rauque et recula de deux pas, bascula par-dessus l'accoudoir du fauteuil 95 et se retrouva à moitié allongé sur le siège généreusement rembourré, les mains levées devant le visage en un geste de défense. Il paraissait tout désarticulé. Ses lunettes, qui avaient glissé de travers, donnaient un aspect encore plus grotesque à son visage brusquement devenu blanc comme du plâtre.

Richards se mit à rire, par hoquets successifs qui s'enflaient de plus en plus. Cela faisait longtemps qu'il n'avait plus ri sans se forcer, d'un rire tonitruant, venu des profondeurs de l'estomac, qui semblait ne jamais devoir s'arrêter.

McCone essaya de parler, mais aucun son ne sortit de sa gorge. Ses lèvres articulèrent cependant un mot : *salaud*, puis sa tête retomba sans forces, comme celle d'un ours en peluche mangé aux mites.

Richards continuait de rire. Se tenant à l'accoudoir de sa main libre, il riait à n'en plus pouvoir.

Compte à rebours... 022

Lorsque la voix de Holloway informa Richards qu'ils traversaient la frontière entre le Canada et l'Etat du Vermont (par le hublot, Richards ne voyait que des ténèbres ponctuées par quelques lumières, mais il supposait que le pilote connaissait son boulot), il posa avec précaution sa tasse de café et demanda :

– Pourriez-vous me fournir une carte de l'Amérique du Nord, capitaine Holloway ?

– Physique ou politique ?

Cette fois, c'était une nouvelle voix, sans doute le navigateur. Ne sachant pas laquelle il lui fallait, et ne voulant pas avoir l'air idiot, il répondit posément :

– Les deux.

– Vous allez envoyer la nana les chercher ?

Son ton déplut à Richards.

– Comment tu t'appelles, mon gars ?

Regrettant sûrement d'avoir attiré l'attention sur lui, l'homme répondit avec hésitation :

– Donahue.

– Tu as des jambes, Donahue. Apporte-les donc toi-même.

Le navigateur arriva aussitôt. Cheveux gominés façon rasta, avec des crans ; pantalons collants mettant en relief ses bijoux de famille, semblables à deux balles de golf. Les cartes étaient protégées par du plastique souple. Richards se demanda avec quoi il protégeait ses roupettes.

– Je ne voulais pas être impoli, s'excusa-t-il avec réticence.

Richards connaissait le genre. Les jeunes gens aisés passaient souvent leur temps libre à écumer les quartiers louches des grandes villes. Ils allaient en bandes, parfois à pied, plus souvent en hélico léger. Leur passe-temps favori était d'attaquer les homosexuels. Il fallait sauver la démocratie des homos. Rendre les toilettes publiques plus fréquentables. Mais ils s'aventuraient rarement dans les ghettos, où ils risquaient de se faire sérieusement tabasser.

Le regard de Richards mettait manifestement Donahue mal à l'aise.

– C'est tout ce que vous désirez ?

– Dis-moi, tu fais la chasse aux homos ?

– *Hein ?*

– Peu importe. Retourne faire ton boulot.

Donahue ne se le fit pas dire deux fois.

Richards comprit rapidement que les cartes qui l'intéressaient – celles qui indiquaient les villes et les routes – étaient les cartes politiques. Du doigt, il suivit leur itinéraire et trouva leur position approximative.

– Capitaine Holloway ?

– J'écoute.

– Tournez à gauche.

– Comment ? fit Holloway avec une réelle stupéfaction.

– Au sud, je veux dire. Mettez le cap plein sud. Et n'oubliez pas...

– Je n'oublie pas, dit Holloway. Ne vous faites pas de bile.

Lentement, l'avion vira sur l'aile. McCone, toujours affalé sur le fauteuil, fixait Richards d'un regard de carnivore affamé.

Compte à rebours... 021

Richards se rendit compte que le ronronnement insidieux de l'avion l'assoupissait. A deux reprises, ses yeux s'étaient fermés. Dangereux, ça. McCone s'était déjà un peu redressé ; manifestement, rien ne lui échappait. Amélia s'en était elle aussi rendu compte. Assise quelques rangées plus loin, elle observait les deux hommes avec inquiétude.

Richards but deux autres tasses de café. En vain. Il avait de plus en plus de mal à suivre leur itinéraire sur la carte d'après les indications que lui donnait Holloway d'une voix neutre.

Finalement, il se flanqua un coup de poing à l'endroit où la balle avait creusé un sillon. L'effet fut immédiat. Il ressentit une douleur fulgurante et eut l'impression de recevoir un baquet d'eau glacée sur la tête. Il serra les dents, mais un gémissement étouffé lui échappa des deux côtés de la bouche – « en stéréo », se dit-il avec un humour douloureux.

– Dans quatre minutes, nous allons survoler Albany, annonça Holloway. Vous pourrez voir les lumières de la ville du côté gauche de l'appareil.

– Du calme, murmura Richards, se parlant à lui-même. Relax, relax...

Mon Dieu, quand est-ce que ça va se terminer ? Bientôt, très bientôt.

Il était 8 heures moins le quart.

Compte à rebours... 020

Dans cette zone imprécise et malsaine située à la lisière du sommeil et de l'état de veille, un cauchemar prit forme dans son esprit – une vision, plutôt, ou une hallucination. Tandis qu'une partie de son esprit veillait, attentive à la navigation et à l'attitude de McCone, des choses bougeaient dans l'ombre, faisant irruption dans sa conscience.

Détection. Positif.

Gigantesques servomécanismes gémissant dans la

nuit. Yeux infrarouges brillant dans des spectres inconnus. Phosphore vert pâle des cadrans et des écrans radar.

Poursuite. Balayage. Repérage.

Lourds camions fonçant sur des routes secondaires. Triangulation sur quatre cents kilomètres de côté. Incessants flots d'électrons, antennes paraboliques dressées vers le ciel. Réflexions, échos captés. Sur les écrans, le point lumineux pâlit, image fantôme aussitôt remplacée par un autre point, un cran plus loin.

Repérage positif ?

Affirmatif. Deux cents miles sud de Newark. Il vise peut-être Newark.

Newark en alerte rouge. New York Sud aussi.

Veto présidentiel toujours en vigueur ?

Absolument.

Dommage, au-dessus d'Albany, on le tenait.

Du calme, mon gars.

Camions traversant des villes verrouillées avec des rugissements de bêtes préhistoriques. Regards rouges de haine et de peur aux fenêtres fermées par des planches.

Stade Un.

Enormes moteurs faisant basculer les lourdes plaques de béton sur des rails d'acier brillant. Silos circulaires pareils aux entrées du monde souterrain des Morlocks. Sifflement de l'hydrogène liquide s'échappant dans l'air.

Poursuite radar. Nous le cherchons toujours, Newark.

Roger, Springfield. Gardez le contact.

Ivrognes assoupis dans des impasses ; réveillés par le grincement des camions, ils scrutent la bande de ciel visible entre les buildings omniprésents. Leurs yeux sont ternes et jaunâtres, leur bouche est une ligne dénuée d'expression. Par un réflexe sénile, les mains cherchent des journaux pour se protéger du froid automnal, mais le Libertel a tué les derniers journaux. Le Libertel règne sur le monde. Alléluia ! Les riches fument des Dokes ! Les yeux jaunis perçoivent, haut dans le ciel, des lumières inconnues qui clignotent. Rouge, vert ; rouge, vert. Le tonnerre des camions s'est éloigné, se répercutant dans les canyons de béton, martèlement de poings de vandales. Les poivrots se rendorment en râlant.

On l'a repéré, à l'ouest de Springfield.

Feu vert ou feu rouge dans cinq minutes.

L'ordre viendra de Harding ?

Positif.

On le lâche pas.

Dans la nuit, un filet invisible se tend au-dessus du nord-est des Etats-Unis. Les ordinateurs General Atomics pilotent les servomoteurs. S'orientant subtilement dans mille directions, les missiles suivent les clignotants rouges et verts qui traversent le ciel, cobras d'acier chargés de venin.

Richards voyait tout cela, et agissait en même temps. Dans un sens, la dualité de son cervéau était réconfortante. Elle créait en lui un détachement proche de la folie. De son doigts encroûté de sang, il suivait leur itinéraire. Toujours plein sud. Un peu au sud de Springfield, puis à l'ouest de Hartford... ensuite...

Poursuite radar. Mais Richards savait à l'avance ce qu'ils voyaient.

Compte à rebours... 019

— Monsieur Richards ?

— Oui.

— Nous survolons Newark, New Jersey.

— J'ai vu, merci. Capitaine ?

Holloway ne réagit pas, mais Richards savait qu'il restait à l'écoute.

– Depuis le départ, nous sommes suivis par des radars, n'est-ce pas ?

– Oui, répondit simplement Holloway.

Richards se tourna vers McCone.

– J'imagine qu'ils sont en train de se demander si la disparition de leur limier professionnel sera une grande perte. Je pense qu'ils répondront par la négative. Après tout, ils n'auront qu'à en engager un autre.

McCone releva la lèvre supérieure, montrant ses dents blanches et régulières. Un geste totalement involontaire, qui remontait probablement à ses ancêtres, les néanderthaliens qui arrivaient silencieusement derrière leurs ennemis, une énorme pierre à la main, au lieu de les écrabouiller de façon plus honorable, mais moins intelligente.

– Quand survolerons-nous de nouveau la rase campagne, capitaine ?

– Jamais, tant que nous aurons le cap au sud. Après avoir passé les forages off shore de Caroline du Nord, nous serons toutefois en plein océan.

– Tout ce qui se trouve au sud d'ici est une banlieue de New York City ?

– En quelque sorte, dit Holloway.

– Merci.

Newark s'étalait sous eux comme une poignée de bijoux crasseux négligemment jetés sur le velours d'un coffret.

– Capitaine ?

– Oui ?

Le ton de Holloway était méfiant.

– Mettez le cap à l'ouest.

McCone faillit bondir de son siège. Amélia s'étrangla en avalant sa salive.

– A l'ouest ? répéta Holloway, surpris et, pour la première fois, pris de peur. En prenant cette direction, vous invitez la catastrophe. Entre Harrisburg et Pittsburgh, c'est la Pennsylvanie agricole. Rien que des champs. Pas une seule ville digne de ce nom à l'est de Cleveland.

– Allez-vous me dicter ma stratégie, capitaine ?

– Non, mais...

– A l'ouest, répéta Richards sèchement.

Newark disparut derrière eux.

– Vous êtes fou, dit McCone. Ils vont nous réduire en bouillie.

– Avec vous et cinq autres personnes innocentes à bord ? Cet honorable pays ferait cela ?

– Ce sera une erreur, dit McCone avec rudesse. Une erreur programmée.

– Vous ne suivez donc pas le *Rapport sur l'Etat de la Nation* ? lui demanda Richards en souriant. Nous ne faisons jamais d'erreurs. Nous n'avons pas commis une seule erreur depuis 1950.

Autour de l'avion, à perte de vue, c'était la nuit totale.

– Vous ne riez plus, constata Richards.

Compte à rebours... 018

Une demi-heure plus tard, la voix de Holloway, plus du tout apeurée, annonça à l'intercom :

– Richards ! Harding nous informe que la Fédération des Jeux va émettre en haute intensité dans notre direction. On m'a précisé que vous ne regretterez pas d'ouvrir le Libertel qui se trouve devant vous.

– Merci, capitaine.

Il regarda le petit écran encastré dans le dos du fauteuil et avança la main, puis la retira soudain comme s'il s'était brûlé. Une effroyable impression de déjà vu s'empara de lui. Comme si tout recommençait. Sheila, avec son visage mince et exténué ; l'odeur de chou venant de la porte de Mme Jenner ; les braillements du Libertel ; *Le Moulin de la fortune... Nagez avec les crocos...* ; les pleurs et les cris de Cathy. Et il n'aurait jamais d'autre enfant, même s'il pouvait recommencer sa vie à zéro. Cathy avait déjà été un miracle, une chance inouïe.

– Allumez-le, dit McCone. Ils vont peut-être nous... vous proposer un marché...

– Ta gueule, rétorqua Richards.

Il attendit, pendant que la peur l'emplissait comme du plomb. Toujours ce curieux pressentiment. Il avait très mal. Depuis qu'il avait frappé sa blessure, elle s'était remise à saigner. Il avait aussi l'impression que ses jambes devenaient insensibles. Il n'était même pas sûr de pouvoir terminer cette farce, le moment venu.

Les dents serrées, Richards se pencha en avant et appuya sur le bouton MARCHE. Instantanément, une image d'une incroyable netteté apparut. Le visage patient qui emplissait l'écran était très noir et très familier. Dan Killian. Assis à un bureau ovale en acajou frappé de l'emblème des Jeux.

– Tiens, tiens..., dit Richards à voix basse. Bonjour.

Il tomba presque de son fauteuil lorsque Killian se redressa et dit en souriant :

– Bonjour à vous, monsieur Richards.

Compte à rebours... 017

– Je ne peux pas vous voir, dit Killian, mais grâce au système sono de l'avion, relié à l'émetteur du cockpit, je vous entends. On m'a dit que vous étiez blessé ?

– C'est moins grave que ça n'en a l'air. Je me suis pas mal égratigné dans les bois.

– Bien sûr ! Votre fameux trek dans la forêt, que Bobby Thompson a immortalisé ce soir même – ainsi, bien sûr, que votre tout dernier exploit. Demain, ces bois seront pleins de gens à la recherche d'un lambeau de chemise, voire d'une douille.

– Dommage. J'avais vu un lapin.

– Ecoutez, Richards, nous n'avons jamais eu un concurrent comme vous. Grâce à une combinaison d'habileté et de chance, vous êtes le premier – le meilleur de toute l'histoire du Jeu. Un homme si remarquable, en fait, que nous vous proposons un marché.

– Un marché ? Une exécution télévisée en direct ?

– Le détournement de l'avion était très spectaculaire, mais c'était une erreur. Vous savez pourquoi ? Parce que, pour la première fois, vous vous êtes éloigné des vôtres. Même cette femme qui vous protège : vous croyez qu'elle est de votre bord, mais c'est faux. Elle-même le croit peut-être, mais elle se trompe. Dans cet avion, vous êtes isolé, Richards. Vous êtes enfin à notre merci.

– Un tas de gens ne cessent de répéter ça, et je suis toujours en vie.

– Depuis deux heures, vous n'êtes en vie que grâce au bon vouloir de la Fédération des Jeux. Autrement dit, grâce à moi. J'ai réussi à obtenir une majorité pour vous proposer ce marché, face à une forte opposition de la vieille garde. C'était sans précédent, mais j'ai pu imposer mes vues. Vous m'aviez demandé qui vous pourriez tuer en montant au sommet. Eh bien, moi, par exemple. Cela vous surprend, Richards ?

– A vrai dire, oui. Je vous prenais pour le domestique noir.

Killian éclata de rire, mais c'était un peu forcé ; l'on

sentait la tension qui l'habitait, la tension d'un homme qui joue gros.

– Voici ce que je vous propose, Richards. Faites atterrir l'avion à Harding. Une limousine de la Fédération vous attendra à l'aéroport. Il y aura un simulacre d'exécution – et nous vous accueillerons dans notre équipe.

McCone poussa un cri de rage.

– Salopard de négro !

Amélia Williams était au comble de la stupéfaction.

– Bien, approuva Richards. Je savais que vous étiez fort, Killian, mais là, vous vous êtes surpassé. Vous auriez fait un excellent vendeur de voitures d'occasion.

– McCone aurait-il eu cette réaction si je mentais ?

– McCone est un excellent acteur, répondit Richards. A l'aéroport, il m'a fait un petit numéro qui aurait mérité un oscar.

Pourtant, il était troublé. McCone ordonnant à Amélia d'aller servir le café alors qu'elle paraissait sur le point de faire sauter le Black Irish. Son antagonisme constant. Cela ne collait pas... ou bien si ? Il ne savait plus.

– Vous avez pu arranger tout ça à son insu, dit-il. En comptant sur sa réaction pour que cela ait l'air plus convaincant.

– Allons, Richards. Vous avez fait *votre* petit numéro avec l'explosif Dynacore. Nous savons – c'est une *certitude* – que c'est du bluff. Mais il y a sur ce bureau un petit bouton rouge qui n'est pas du bluff. Il me suffit d'appuyer dessus pour que, vingt secondes après, votre avion soit détruit par un missile surface-air Diamond-back armé de têtes nucléaires propres.

– Le Black Irish est bien réel, dit Richards.

Mais il avait un mauvais goût dans la bouche. Son bluff tournait à l'aigre.

– C'est absolument exclu. Il est impossible de

monter à bord d'un Lockheed G-A avec un explosif de ce type sans déclencher l'alarme. L'appareil est équipé de quatre détecteurs indépendants : un pirate de l'air n'a aucune chance de passer inaperçu. Un cinquième se trouve dans le parachute que vous aviez demandé. Je puis vous assurer que, dans la tour de contrôle de Voigt Field, tous les yeux étaient fixés sur les témoins lumineux. De l'avis général, vous aviez réellement l'explosif. Compte tenu de l'ingéniosité dont vous aviez témoigné depuis le début, cela paraissait une supposition raisonnable. Vous pouvez imaginer avec quel soulagement nous avons constaté qu'aucun des témoins ne s'allumait. Je suppose que vous n'avez pas eu l'occasion de vous en procurer. Ou bien vous y avez pensé trop tard. Peu importe d'ailleurs. Cela n'améliore évidemment pas votre situation, mais...

McCone apparut soudain aux côtés de Richards.

– Et on y va ! s'écria-t-il avec un sourire féroce. C'est là que je te fais sauter la cervelle, petite ordure !

Il pointa son pistolet sur la tempe de Richards.

Compte à rebours... 016

– Si vous faites cela, vous êtes mort, dit Killian.

McCone hésita, recula d'un pas et regarda le Libertel avec incrédulité. Ses traits s'affaissèrent ; il fit de vains efforts pour parler, puis réussit à articuler, d'une voix tremblante de rage et de frustration :

– Je peux le liquider. Ici même, sans attendre. Nous serions tous hors de danger. Nous...

– Vous n'avez jamais été en danger, espèce d'imbécile, dit Killian d'un ton las. Et si nous avions voulu le liquider, comme vous dites, Donahue s'en serait chargé.

– Cet homme est un criminel, un anarchiste ! Il a tué des policiers ! Il a volé, pris un otage, détourné un avion ! Il... il m'a humilié en public, il a insulté ma fonction...

– Asseyez-vous, cracha Killian d'une voix aussi glaciale que l'espace interplanétaire. N'oubliez pas qui vous paie.

– Je porterai l'affaire devant le président du Réseau ! rugit McCone, la bave aux lèvres. On vous renverra dans les champs de coton, sale nègre ! On verra qui...

– Lâchez immédiatement ce pistolet, intervint une nouvelle voix.

Surpris, Richards se retourna. C'était Donahue, le navigateur, plus froid et inquiétant que jamais. Il tenait négligemment un pistolet-mitrailleur Magnum/Springstun.

– Robert S. Donahue, officier en service actif, police des Jeux. Lâchez cette arme.

Compte à rebours... 015

McCone le regarda pendant une longue seconde avant de jeter le pistolet sur l'épaisse moquette.

– Vous...

– Assez de discours pour aujourd'hui, dit Donahue. Retournez en seconde et asseyez-vous comme un gentil garçon.

McCone recula de plusieurs pas, avec un rictus qui découvrait ses dents. Il ressemblait à un vampire frustré, vaincu par une croix ou une gousse d'ail, comme dans les vieux films d'épouvante.

Lorsqu'il eut disparu derrière les rideaux, Donahue salua ironiquement Richards du canon de son pistolet.

– Il ne vous embêtera plus, maintenant.

– Tant mieux. Mais vous ressemblez toujours autant à un chasseur dc pédés.

Le sourire moqueur s'évanouit. Donahue le regarda un moment avec une indifférence à laquelle se mêlait peut-être un rien de répugnance, mais regagna le cockpit.

Richards fit face à l'écran. Son pouls était resté parfaitement régulier ; son souffle n'était pas plus court que de coutume ; ses jambes n'étaient pas de coton. « Décidément, se dit-il, on s'habitue à tout, même à la mort. »

– Vous êtes là, monsieur Richards ? demanda Killian.

– Je suis là.

– Le problème est réglé ?

– Oui.

– Parfait. Revenons-en à ce que je disais.

– Si vous voulez.

Killian soupira.

– Je disais donc que nous savons que vous bluffez. Cela n'améliore pas votre situation. Par contre, cela améliore notre crédibilité. Vous comprenez pourquoi ?

– Oui, dit Richards avec indifférence. Cela signifie que vous auriez pu abattre cet avion n'importe quand. Ou bien ordonner à Holloway de le poser n'importe où. McCone se serait chargé de moi.

– Exactement. Vous me croyez, lorsque je dis que nous *savons* que vous bluffez ?

– Non. Mais vous êtes plus fort que McCone. L'idée de faire intervenir votre larbin déguisé en navigateur était assez amusante.

Killian éclata de rire.

– Vous me plaisez de plus en plus, Richards. Vous êtes un oiseau si rare, si chatoyant...

De nouveau, sa gaieté paraissait forcée. Richards eut l'impression que Killian lui cachait quelque chose ;

plus précisément, qu'il retardait le moment de lui donner une information qu'il aurait préféré lui cacher.

– Si vous l'aviez vraiment, vous auriez tiré sur l'anneau lorsque McCone a pointé son pistolet sur vous. Vous saviez qu'il allait vous tuer. Pourtant, vous n'avez rien fait.

Richards comprit que c'était terminé. Ils savaient, sans l'ombre d'un doute. Le sardonique et perspicace Killian devait être ravi. En tout cas, s'ils voulaient voir sa carte cachée, il le leur ferait payer.

– Racontez ce que vous voulez. Si vous me poussez à bout, tout saute.

– Vous ne seriez pas l'homme que vous êtes si vous ne jouiez pas le jeu jusqu'au bout. Donahue ?

La voix précise et dénuée d'émotion de celui-ci se fit aussitôt entendre au télécom :

– A vos ordres.

– Pourriez-vous regagner la cabine et prendre le sac de Mme Williams dans la poche de M. Richards ? Mais pas de brutalités, je vous prie.

– A vos ordres.

Son ton mécanique rappela à Richards le bruit des machines qui perforaient sa carte au Q.G. des Jeux. *Clataclac-clic.*

Donahue apparut et s'avança vers Richards. Son visage lisse était parfaitement vide. Le mot *programmé* s'imposa à l'esprit de Richards.

– Doucement, mon joli, dit Richards en bougeant un peu la main enfoncée dans sa poche. Votre patron ne risque rien, là-bas. C'est vous qui allez vous retrouver sur la lune.

Son pas hésita un bref instant, et il cilla involontairement, mais il continua à avancer, aussi calme que s'il faisait une promenade sur la Côte d'Azur... ou s'il s'approchait d'un homosexuel affolé, tapi au fond d'une impasse.

Que faire ? Sauter en parachute ? Difficile. S'enfuir ?

Où ? Il ne pouvait pas aller plus loin que les toilettes des troisièmes, tout au bout de l'avion.

– On se reverra en enfer, dit-il sans élever la voix, tout en faisant le geste de tirer.

Cette fois, la réaction fut un peu plus satisfaisante. Donahue se protégea le visage des deux mains, dans un geste instinctif aussi ancien que l'humanité. S'apercevant qu'il était toujours du monde des vivants, il baissa les bras ; son visage exprimait un vif embarras, mêlé de colère.

Richards sortit le sac à main d'Amélia de sa poche crasseuse et déchirée et le lança en direction de Donahue. Sur le torse de ce dernier, le sac retomba au sol, pareil à un oiseau mort.

La main de Richards était luisante de sueur. Elle lui parut toute blanche et étrangère. Donahue se baissa pour ramasser le sac et, sans même le regarder, le tendit à Amélia. Richards ressentit une absurde nostalgie. Tout de même, c'était un peu comme s'il perdait un vieil ami.

– Boum ! dit-il à voix basse.

Compte à rebours... 014

– Votre gars est très fort, dit Richards avec lassitude lorsque Donahue se fut retiré. J'ai réussi à le faire broncher un poil, mais j'espérais qu'il mouillerait son froc.

Ses yeux lui jouaient des tours ; par moments, il avait l'impression de voir double. Il se tâta prudemment le flanc. La blessure ne saignait presque plus.

– Et maintenant ? demanda-t-il. Ferez-vous mettre des caméras à l'aéroport pour que le pays entier voie comment on règle son compte à un desperado ?

– Et maintenant, susurra Killian, parlons du marché que je vous propose.

Son visage s'était assombri. Ce qu'il cachait n'était manifestement pas loin sous la surface. Richards sentit de nouveau l'angoisse lui tordre les tripes. Littéralement. Il aurait voulu éteindre le Libertel. Ne plus rien entendre. Ne pas savoir.

– *Vade retro, Satana*, dit-il d'une voix épaisse.

– Comment ? fit Killian, surpris.

– Rien. Je vous écoute.

Killian resta un moment sans rien dire. Il regarda ses mains, puis releva la tête. Richards sentit une chambre inconnue de son esprit frémir douloureusement, tant le pressentiment était fort. Il lui semblait que les fantômes des pauvres et des sans-nom, des ivrognes dormant dans les terrains vagues, l'appelaient par son nom.

– McCone a fait son temps, dit Killian avec calme. Vous avez démontré son incapacité. C'est un fruit mort, comme un œuf à la coquille brisée. Nous voulons que vous preniez sa place.

Richards, qui croyait que plus rien ne pouvait le surprendre ou le choquer, ouvrit la bouche de stupéfaction. Killian mentait. C'était la seule explication. Et pourtant... Amélia avait repris possession de son sac. Ils n'avaient plus aucune raison de mentir, ou de lui faire miroiter de fausses promesses. Il était blessé, et seul. McCone et Donahue étaient tous deux armés. Une balle dans la tempe, et ce serait la fin, facile, sans gâchis, sans conséquences déplaisantes.

Conclusion : Killian disait la pure et simple vérité.

– Vous êtes cinglé, marmonna-t-il.

– Pas du tout. Vous êtes le meilleur concurrent que nous ayons jamais eu. Vous connaissez toutes les astuces, tous les lieux où l'on peut se cacher. Ouvrez un peu les yeux, et vous verrez que *La Grande Traque* ne sert pas seulement à divertir les masses et à se débarrasser d'individus dangereux. Le Réseau est perpétuellement à la recherche de nouveaux talents, Richards. C'est pour nous une nécessité.

Richards voulut parler, mais en fut incapable. L'angoisse continuait à l'étreindre, de plus en plus étouffante.

– Il n'y a jamais eu de chef des Chasseurs marié, dit-il enfin. Vous devriez savoir pourquoi. Le risque de chantage...

– Ben, dit Killian avec une infinie douceur, votre femme et votre fille sont mortes. Depuis plus de dix jours, déjà.

Compte à rebours... 013

Dan Killian parlait et parlait, sans doute depuis un long moment, mais Richards n'entendait qu'un son lointain, déformé par les échos de son esprit. Il se trouvait dans un puits très profond, dont les ténèbres servaient de toile de fond à une sorte de kaléidoscope mental : un vieux Kodak de Sheila esquissant un pas de danse dans le couloir du collège des Métiers ; les microjupes étaient depuis peu revenues à la mode. Un instantané de Sheila et de lui-même, assis à l'extrémité de la grande digue (entrée libre) ; dos à l'objectif, ils regardaient l'eau en se tenant la main. Une photo couleur sépia d'un jeune homme vêtu d'un complet mal coupé et d'une jeune femme portant la meilleure robe de sa mère, face à un homme en habit de cérémonie, qui avait une grosse verrue sur le nez. Pendant leur nuit de noces, la verrue de M. le maire les avait bien fait rire. Une photo en noir et blanc, très contrastée, montrant un homme jeune, torse nu, couvert de sueur et protégé par un tablier de plomb, maniant les leviers d'une énorme machine dans un immense sous-sol éclairé par des lampes à arc. Une photo aux couleurs pastel (pour masquer le cadre sordide) d'une femme visiblement enceinte ; debout à la fenêtre, elle guette l'arrivée de son mari ; une main tient écarté le misérable rideau ; la lumière caresse son visage comme une patte de chat. Dernière image : encore un vieux Kodak d'un homme très maigre levant au-dessus de sa tête un minuscule bébé ; son visage radieux est un curieux mélange de triomphe belliqueux et d'amour. Les images se succèdent de plus en plus vite, n'éveillant ni tristesse ni amour (l'heure de porter le deuil n'a pas encore sonné), mais l'insensibilisant comme une piqûre de Novocaïne.

De temps à autre, les mots de Killian lui parviennent. Il lui assure que le Réseau n'est pour rien dans leur mort, que c'était un horrible accident. Richards est enclin à le croire : cette histoire ressemble trop à un mensonge pour ne pas être vraie ; de plus, Killian sait que si Richards accepte son offre, il n'aura rien de plus pressé que de faire un tour à Co-Op City, où une heure dans les rues lui suffira pour apprendre la vérité.

Des rôdeurs. Trois. (Ou des clients ? se demande Richards avec horreur. Sheila lui avait paru évasive, au téléphone.) Probablement drogués. Peut-être avaient-ils fait un geste menaçant, Sheila avait voulu protéger sa fille... Toutes deux avaient été poignardées.

Cela l'arracha à son rêve.

– Assez de conneries ! hurla-t-il, faisant sursauter Amélia. Que s'est-il passé ? Je veux tout savoir !

– Je vous ai pratiquement tout dit. Votre femme a été frappée à plus de soixante reprises.

– Cathy... murmura-t-il d'une voix éteinte.

Killian tressaillit.

– Ben ? Je suppose qu'il vous faut du temps pour réfléchir.

– Oui. Oui, c'est ça.
– Je suis infiniment navré, mon vieux. Je vous jure sur la tête de ma mère que nous n'y sommes pour rien. Nous les aurions installées dans un endroit protégé, avec un droit de visite si vous le désiriez. Un homme ne travaille pas de son plein gré pour les gens qui ont massacré sa famille. Nous en sommes pleinement conscients.
– Il me faut du temps.
– N'oubliez pas : en qualité de chef des Chasseurs, vous pourrez retrouver ces salopards et leur donner ce qu'ils méritent. Et à un tas d'autres comme eux.
– Je veux réfléchir. Au revoir.
– Je...
Richards appuya sur le bouton ARRÊT. Longtemps, il se tint immobile comme une statue, les bras ballants, les yeux fermés, ne percevant rien d'autre que le ronronnement hypnotique de l'avion qui poursuivait sa route dans les ténèbres.
« Et voilà, se dit-il. Tout est révélé. »

Compte à rebours... 012

Une heure passa.
Le moment est venu, dit l'otarie, de parler. De chaussures – et de navires – et de cire à cacheter. De choux – et de rois...
Des ailes des cochons – si vraiment ils en ont...
D'autres images se succédaient maintenant dans son esprit : Stacey. Bradley. Elton Parrakis avec son visage poupin. Le cauchemar de la fuite. Les journaux allumés dans le sous-sol du Y.M.C.A. avec sa dernière allumette. Le rugissement des voitures à essence. La mitraillette crachant des flammes. La voix aigre de

Laughlin. Les images des deux gosses, agents de la Gestapo en herbe.

Après tout, pourquoi pas ?

Il n'avait plus aucune attache, et certainement pas de scrupules moraux. Un homme seul n'a pas ces problèmes. Avec la souriante brutalité qui lui était coutumière, le perspicace Killian lui avait montré à quel point il était isolé. Bradley et sa croisade contre la pollution n'étaient plus qu'un souvenir lointain. Les filtres protecteurs, oui... Une juste cause, qui méritait de mobiliser le pays entier. Maintenant, tout cela lui semblait dénué d'importance.

Les pauvres seront toujours avec toi.

C'était vrai. Richards lui-même avait engendré un spécimen pour la machine à tuer. Un jour, les pauvres finiraient par s'adapter. Une mutation prendrait place. Dans dix mille ou cinquante mille ans, leurs poumons apprendraient à filtrer l'air empoisonné. Ils se révolteraient alors, arracheraient les filtres artificiels des riches et les regarderaient se noyer dans une atmosphère dont l'oxygène n'était plus qu'un composant mineur. Mais ces visions d'avenir ne concernaient pas Ben Richards.

Pendant quelque temps, il serait accablé de douleur. Ils s'y attendaient, et se montreraient compréhensifs. Il aurait sans doute des moments de colère, de révolte. Peut-être tenterait-il de nouveau de faire savoir au public que la pollution de l'air était voulue par le Réseau. Ils sauraient comment y faire face. Ils veilleraient sur lui – en attendant le jour où il serait en état de veiller sur eux. Instinctivement, il s'en sentait capable ; il était certainement doué pour ce travail, très doué. Mais auparavant, ils feraient tout pour l'aider, pour le guérir. Les médecins et les médicaments changeraient son esprit.

Il connaîtrait la paix.

La conscience, extirpée comme une mauvaise herbe.

Il aspirait à cette guérison, à cette paix, comme un homme perdu dans le désert aspire à boire de l'eau fraîche.

Immobile dans son fauteuil, Amélia Williams continuait à pleurer, interminablement. Richards se demanda où elle prenait toutes ces larmes, et aussi, vaguement, ce qu'elle allait devenir. Elle pouvait difficilement retourner chez elle dans cet état : elle n'était plus du tout la dame qui s'était arrêtée à un stop, l'esprit plein de robes et de bijoux, de réunions, de clubs et de recettes de cuisine. L'envers du décor avait pris le dessus, teintes marron du désespoir. Au feu rouge mental où les routes divergent, elle avait pris la mauvaise direction. Des drogues, une patiente psychothérapie révéleraient les raisons de ce choix.

Il eut soudain envie d'aller la consoler, de lui dire que ce n'était pas grave, que quelques bouts de sparadrap psychique suffiraient à la faire redevenir comme avant, meilleure qu'avant.

Sheila. Cathy.

Leurs noms se répétant comme un battement de cloches, se répétant jusqu'à perdre toute signification. Dites votre nom deux cents fois de suite, vous vous apercevrez que vous n'êtes personne. Il n'y avait pas de place pour la douleur ; Richards ne ressentait qu'un embarras confus : ils l'avaient fait cavaler jusqu'à ce que sa langue pende par terre. Il devait avoir l'air du dernier des cons. Comme ce gamin, à l'école primaire, dont le pantalon était tombé au moment où il se levait pour prêter serment.

Le ronronnement des turbos n'en finissait pas. Il s'assoupit à moitié. Les images défilaient paresseusement dans son esprit ; elles étaient totalement dénuées de contenu émotionnel.

A la fin de l'album, une dernière photo. Une superbe

épreuve en couleurs dix-huit/vingt-quatre prises par un photographe de la police qui mâchonnait peut-être du chewing-gum. Pièce à conviction C, mesdames et messieurs du jury.

Un petit cadavre déchiqueté dans un berceau gorgé de sang. Un pan de mur tout éclaboussé. Un gros caillot au milieu du front de l'ours en peluche acheté d'occasion, celui qui n'avait plus qu'un œil.

Il se redressa d'un coup, pleinement éveillé, en hurlant de tous ses poumons, la bouche grande ouverte, la langue vibrant comme une voile dans le vent. Tout, tout ce qu'il voyait dans la cabine de première prit soudain une réalité stridente, terrifiante. Aussi terrifiante que les images montrant le cadavre de Laughlin à Topeka. Tout était très réel et en Technicolor.

Amélia se mit à hurler à l'unisson ; ses yeux terrifiés étaient semblables à des poignées de porte en porcelaine craquelée. Se faisant toute petite dans son siège, elle essayait de se fourrer le poing entier dans la bouche.

Donahue accourut aussitôt, pistolet-mitrailleur au poing.

– Que se passe-t-il ? Il y a un problème ? McCone ?

– Non, dit Richards, sentant son cœur se ralentir juste assez pour que sa voix ne paraisse pas trop désespérée. Un mauvais rêve. Ma petite fille.

– Oh.

Le regard de Donahue s'adoucit en une maladroite parodie de compassion. Ce n'était manifestement pas son registre. Il resterait sans doute un gorille jusqu'à sa mort. A moins qu'il n'apprenne avant. Il fit volte-face pour regagner le cockpit.

– Donahue ?

Il se retourna avec réticence.

– Je vous ai fichu une belle frousse, hein ?

– Non.

Sur ce seul mot, il se retourna, roulant des épaules. Dans son uniforme bleu trop serré, il avait des fesses de fille.

– Je pourrais faire pire, remarqua Richards. En menaçant de vous retirer votre filtre nasal.

Exit Donahue.

Richards se sentait terriblement las. Il referma les yeux. Aussitôt, la photo sanglante revint. Il les rouvrit, attendit un moment, puis les referma. Pas de photo. Lorsqu'il fut certain qu'elle ne reviendrait pas (pas pour le moment, du moins), il les ouvrit de nouveau et appuya sur le bouton du Libertel.

Killian était fidèle au poste.

Compte à rebours... 011

– Ah ! Richards.

Killian se pencha en avant, ne faisant aucun effort pour dissimuler la tension qui l'habitait.

– J'ai décidé d'accepter, dit Richards.

Killian se détendit. Dans son visage impassible, seuls ses yeux souriaient.

– J'en suis très heureux, dit-il.

Compte à rebours... 010

– Ça alors ! s'exclama Richards à mi-voix.

Il se tenait à l'entrée du cockpit.

Holloway se retourna.

– Salut.

Debout, un micro à la main, il parlait à un mystérieux interlocuteur appelé « V.D.R. Detroit ». Accoudé à une console, Duninger buvait du café.

Le siège du pilote était inoccupé ; celui du copilote, de même. Pourtant, les commandes se levaient, s'abaissaient, tournaient, des lumières clignotaient, des chiffres défilaient sur des cadrans, dans un constant dialogue... avec qui ?

– Qui conduit le bus ? demanda Richards, fasciné.

– Otto, répondit Duninger.

– Otto ?

– Otto le pilote automatique. Vous y êtes ? Un jeu de mots stupide. (Un sourire éclaira soudain le visage de Duninger.) Bienvenue à bord, mon gars. Vous ne le croirez peut-être pas, mais vous aviez plus d'un supporter dans notre équipe.

Richards hocha vaguement la tête. Comme le silence devenait pesant, Holloway intervint :

– Il est bizarre, Otto, n'est-ce pas ? Moi aussi, j'ai du mal à m'y habituer. Même au bout de vingt ans. Mais pas de danger, il ne fait jamais la moindre erreur. Incroyablement sophistiqué. Comparé aux premiers modèles, c'est... comme un bureau Louis XV à côté d'une caisse en sapin.

– Vraiment ? dit Richards en essayant de percer les ténèbres.

– Oh oui ! Vous indiquez la destination, et Otto prend le relais, assisté pendant tout le trajet par le voco-radar. Le pilote ne sert plus à rien, sauf pour les décollages et les atterrissages. Et en cas de pépin.

– Que pouvez-vous faire de plus que lui, en cas de pépin ? demanda Richards.

– Prier, répondit Holloway. Peut-être avait-il voulu plaisanter, mais son ton était d'une étrange sincérité. Cela jeta un froid dans la cabine.

– Ces manches servent à orienter l'avion ? demanda Richards.

– Surtout pour monter ou descendre, expliqua

Duninger. Les mouvements latéraux sont contrôlés par les pédales.

– On dirait une planche à roulettes de gamin.

– En un peu plus compliqué, précisa Holloway. Disons qu'il y a davantage de boutons.

– Que se passe-t-il si Otto perd la boule ?

– Ça n'arrive jamais, répondit Duninger en souriant. Si c'était le cas, nous reprendrions aussitôt les commandes. Mais l'ordinateur est infaillible.

Holloway et Duninger retournèrent à leurs affaires – chiffres incompréhensibles et communications audio brouillées par des parasites. Richards s'attarda un moment, fasciné par les ajustements minutieux des pédales, les rotations précises des deux manches à balai, les chiffres se succédant sur les cadrans.

Holloway se retourna un instant, parut surpris que Richards fût toujours là, puis sourit et lui dit en montrant les ténèbres :

– Vous pourrez bientôt apercevoir Harding.

– Combien de temps ?

– Dans cinq à six minutes, vous verrez l'horizon s'éclaircir.

Lorsque Holloway se retourna de nouveau, Richards était parti.

– Je serai quand même content d'être débarrassé de lui, dit-il à Duninger. Il n'est pas très net.

Duninger fixa d'un air morose les cadrans, dont la lumière verdâtre baignait son visage.

– Il n'aime pas Otto. Tu as remarqué ?

– J'ai remarqué, dit Holloway.

Compte à rebours... 009

Richards passa dans l'étroit couloir. Friedman, le radio, ne leva pas la tête. Donahue, pas davantage. Arrivé dans l'office, il s'arrêta.

L'odeur du café était puissante et tonique. Il s'en versa une tasse, ajouta un peu de lait en poudre, puis s'assit sur un des sièges réservés aux hötesses. La grosse cafetière Silex fumait et bouillonnait.

Dans le freezer en plastique transparent, tout un assortiment de mets luxueux était exposé. Un casier était plein de bouteilles miniatures.

De quoi prendre une bonne cuite, pensa-t-il.

Il but son café à petites gorgées. Il était chaud et parfumé. La Silex bouillonnait.

Me voilà ici, se dit-il. Eh oui ! Assis en train de prendre un bon café.

Des casseroles impeccablement rangées. Le petit évier en inox brillait comme un bijou enchâssé dans du Formica. Sur la plaque chauffante, bien sûr, la Silex continuait à fumer et à bouillonner. Avoir une Silex, c'était le rêve de Sheila. Une Silex, c'est du solide, affirmait-elle.

Richards pleurait.

Il y avait aussi de minuscules toilettes, où seules des fesses d'hôtesses de l'air s'étaient posées. Par la porte entrouverte, il voyait même l'eau bleue et super-désinfectée de la cuvette. Déféquer dans la splendeur à quinze mille mètres d'altitude...

Il continua à boire son café en regardant la Silex fumer et bouillonner, et pleura. Ses larmes étaient très calmes et complètement silencieuses. Elles se tarirent en même temps que sa tasse de café.

Richards se leva et posa la tasse dans l'évier en inox.

Il prit la Silex par la poignée en plastique marron et en vida précautionneusement le contenu. De minuscules gouttelettes de condensation se formèrent sur l'épais verre trempé.

Il s'essuya les yeux avec la manche de sa veste et regagna l'étroit couloir. Tenant toujours la Silex à la main, il entra dans le compartiment de Donahue.

– Vous voulez du café ?

– Non, répondit sèchement Donahue, sans lever les yeux.

– Mais si, ça vous fera du bien, dit Richards en abattant la lourde cafetière sur le crâne de Donahue. Il y mit toute la force dont il était capable.

Compte à rebours... 008

L'effort rouvrit sa blessure pour la troisième fois, mais le pot ne se brisa pas (que mettent-ils dans le verre pour le renforcer... de la vitamine B-12 ?). Donahue s'affaissa sans bruit sur la table de navigation. Un épais filet de sang se mit à couler sur les cartes plastifiées, puis goutta sur le sol.

– Roger, crépita gaiement une voix à la radio. Vous reçois cinq sur cinq, C-Un-Neuf-Huit-Quatre.

Richards tenait toujours la Silex. Une mèche de cheveux graisseuse y était restée collée.

Il la lâcha. Elle tomba sans aucun bruit. Même ici, la moquette était épaisse. La grosse boule de verre roula vers lui, pareille à un énorme œil injecté de sang. Richards revit l'horrible photo de Cathy dans son berceau.

Réprimant un frisson, il souleva Donahue par les cheveux et fouilla son veston marine. Le pistolet-mitrailleur y était. Il allait le relâcher lorsqu'il se ravisa et le leva un peu plus haut. Sa bouche sanguinolente était toute de travers, ouverte en un rictus imbécile.

Richards regarda dans une de ses narines. L'objet était bien là. Un minuscule filtre aux mailles brillantes.

– Répondez E.T.A., C-Un-Neuf-Huit-Quatre, dit la radio.

– Hé, Donahue ! cria Friedman de sa cabine. C'est pour toi !

Richards regagna laborieusement le couloir. Il boitait et se sentait très faible. Friedman tourna la tête.

– Vous pourriez dire à Donahue de se remuer un peu et...

Richards tira. La balle pénétra juste au-dessus de la lèvre supérieure, faisant voler des dents de tous côtés. Derrière Friedman, une masse de cheveux mêlés de sang et de cervelle se colla, comme une belle tache de Rorschach, sur un poster 3-D représentant une blonde écartant des jambes éternelles sur un lit à baldaquin en acajou.

Une exclamation étouffée vint du cockpit. Holloway plongea vers la porte dans une tentative désespérée pour la fermer. Richards remarqua qu'il avait sur le front une petite cicatrice en forme de point d'interrogation. Le genre de cicatrice que pourrait se faire un gamin aventureux jouant au pilote dans les branches d'un arbre.

La balle l'atteignit en plein ventre. Holloway poussa un énorme « *HooOOO !* » et tomba en avant.

Duninger s'était retourné sur son siège, le visage pâle et défait.

– Ne me tuez pas, hein ?

Son ton aurait voulu être menaçant, mais il ne lui restait pas assez de souffle pour cela.

– Bien sûr, lui dit Richards avec amabilité tout en pressant la détente.

Duninger s'écroula de côté. Derrière lui, quelque chose claqua, avec un bref éclair.

Le silence revint.

– Répondez E.T.A., C-Un-Neuf-Huit-Quatre, répéta la voix à la radio.

Richards sentit soudain son estomac se soulever. Il vomit d'un coup une grande quantité de café et de bile. Les contractions musculaires rouvrirent encore davantage la plaie ; tout son côté gauche vibrait et pulsait de douleur.

Il s'approcha du tableau de bord. Les commandes étaient agitées de petits soubresauts incroyablement précis, dans un synchronisme parfait. Tant de cadrans, tant de boutons...

Pour un vol aussi important, les communications devaient être relayées à tous les postes. Il se pencha vers un micro et dit sur un ton parfaitement neutre :

– Bien reçu.

– Qu'est-ce qui se passe, C-Un-Neuf-Huit-Quatre ? Vous avez laissé le Libertel allumé ? Tout est O.K. ?

– Cinq sur cinq, dit Richards.

– Dis à Duninger qu'il me doit une bière, ajouta la voix mystérieusement, avant de couper la communication.

A la radio, rien qu'un grésillement léger.

Otto conduisait le bus.

Et Richards regagna la cabine pour terminer ce qu'il avait commencé.

Compte à rebours... 007

– Ô mon Dieu ! s'écria Amélia Williams. Ô mon Dieu !

Richards se regarda. Tout son côté gauche, de la cage thoracique à la cuisse, était rouge et brillant de sang.

– Qui aurait cru qu'il y a autant de sang dans le corps humain ? fit-il observer.

McCone fit soudain irruption dans la cabine. Un instant lui suffit pour saisir la situation. Richards et lui firent feu en même temps.

McCone disparut derrière le rideau des secondes. Richards se laissa tomber sur le fauteuil le plus proche. Sur son ventre, était apparu un énorme trou, par lequel les intestins commençaient à sortir.

Amélia hurlait sans discontinuer. Elle se griffait le visage des deux mains, déformant horriblement ses traits.

McCone revint en titubant. Il souriait. Apparemment, la moitié de sa tête avait été emportée, mais il souriait quand même.

Il tira à deux reprises. La première balle passa par-dessus la tête de Richards. La seconde l'atteignit juste sous la clavicule.

Richards tira à son tour. McCone tourna deux fois sur lui-même, comme s'il se demandait où aller, et laissa échapper le pistolet. Il semblait observer avec un grand intérêt le plafond en Styrofoam des premières, le comparant peut-être à celui des secondes. Finalement, il tomba à la renverse. L'odeur de poudre et de chair brûlée était aussi puissante que le parfum des pommes dans une cidrerie.

Amélia hurlait toujours. Richards estima que cela témoignait d'une vigoureuse santé.

Compte à rebours... 006

Richards se leva avec précaution, tenant ses intestins des deux mains. Il avait l'impression que quelqu'un grattait des allumettes dans son ventre.

Il suivit très lentement l'allée, plié en deux, une main sur le ventre, comme s'il faisait la courbette. Au passage, il saisit le parachute et le traîna derrière lui. Une boucle de saucisse grisâtre échappa à ses doigts. Il la rentra de force. Ça faisait affreusement mal. Il se demanda aussi s'il n'était pas en train de faire dans son froc.

– Gloug, gémissait Amélia. Gloug-gloug-gloug. Ô Dieu ! Ô mon Dieu !...

– Mettez ça, lui dit Richards. Comme un sac à dos. Vous voyez ?

Elle fit oui de la tête.

– Je... peux pas... sauter. Trop peur.

– L'avion va s'écraser. Il *faut* sauter.

– Peux pas.

– Je vous tue, alors.

Elle se leva d'un bond, le bouscula sans façon et empoigna le parachute d'un geste décidé. Tout en s'empêtrant dans les courroies et les bretelles, elle recula de quelques pas.

– Non. Celle-là se met derrière.

Avec des gestes rapides, elle fixa le parachute sur son dos, sans cesser de reculer devant Richards, qui s'avançait lentement vers elle, un filet de sang au coin de la bouche.

– Maintenant, la ceinture. Ça s'enclenche tout seul. Suffit de pou... pousser.

Elle boucla la ceinture avec des doigts tremblants ; il lui fallut trois essais pour y parvenir. Elle fixait Richards avec des yeux exorbités. Parfois, les larmes se remettaient à couler.

Elle faillit glisser dans le sang de McCone, puis enjamba le cadavre.

Amélia avançait toujours à reculons, tandis que Richards, se traînant péniblement, semblait la poursuivre. Ils traversèrent ainsi la cabine des secondes, puis celle des troisièmes. Dans son ventre, les allumettes avaient fait place à un briquet dont la flamme ne s'éteignait jamais.

La porte de secours était fermée par des boulons explosifs et une barre commandée depuis le cockpit.

Richards lui tendit le pistolet de Donahue.

– Tirez... le recul me ferait trop mal.

Les yeux fermés, le visage tourné de côté, elle tira à deux reprises sur la porte, puis appuya en vain sur la détente. Le chargeur était vide. Mais la porte restait obstinément fermée. Richards ressentit un vague désespoir, mêlé de nausée. Amélia tenait nerveusement la cordelette du parachute, lui imprimant de petites secousses.

– Peut-être...

Elle n'eut pas le temps de terminer sa phrase : la porte s'ouvrit brutalement, l'aspirant dans la nuit.

Compte à rebours... 005

Luttant contre cet ouragan à rebours, Richards s'éloigna de la porte, courbé en deux, s'agrippant aux dossiers des sièges. Si l'avion avait volé plus haut, avec une plus grande différence de pression entre la cabine et l'extérieur, il aurait également été éjecté. Il était tout de même brutalement secoué ; ses pauvres intestins se dépliaient et traînaient jusqu'à ses pieds. Le briquet était devenu une torche qui le ravageait. Seul l'air glacial qui s'engouffrait dans l'avion l'empêchait de s'évanouir.

Dans la cabine des secondes, la succion était déjà moins forte. Il put se redresser un peu. Attention... enjamber le corps de McCone. Maintenant, traverser les premières...

Il s'arrêta à l'entrée de l'office pour essayer de

rentrer ses intestins. Ils n'aimaient pas être dehors. Pas du tout. Mais c'était sans espoir. Ils étaient emmêlés dans tous les sens. Il pleura pour ses pauvres intestins, si fragiles, qui n'avaient rien fait pour mériter ça.

La terrible vérité le frappa de plein fouet : tout ceci était réel, et sa propre fin était proche. Ravalant le sang qui emplissait sa bouche, il poussa un gémissement aigu.

Aucune réaction dans l'avion. Normal : il ne restait que lui et Otto.

Il avait l'impression que le monde se vidait de sa couleur au fur et à mesure qu'il se vidait de son sang. Affalé contre l'entrée de l'office, il voyait tous les objets se fondre dans une grisaille mouvante.

Et voilà. C'est la fin.

Il hurla de nouveau, et le monde redevint d'une cruelle netteté. Pas encore. Non, surtout pas.

Il plongea dans l'office, ses intestins pendant tout autour de lui comme des guirlandes. Stupéfiant qu'il y en ait tant. Si ronds, si fermes, si compacts.

Il marcha sur un morceau de lui-même, et quelque chose *en lui* se déchira. La douleur fut lancinante, inimaginable, hors de ce monde. Il poussa un hurlement strident, éclaboussant de sang la porte du cockpit, à trois mètres devant lui. Il perdit l'équilibre et serait tombé brutalement si la cloison ne l'avait arrêté.

Une balle dans les tripes. Je suis éventré.

Clitaclic-clac, fit une voix démente dans son esprit.

Il lui restait une chose à faire. Une.

Les blessures abdominales étaient les pires, disait-on. Un jour, quand il travaillait chez G-A, ils avaient discuté de ça pendant la pause-déjeuner. Des différentes façons de s'en aller. Lui et ses copains, en pleine santé, bourrés de sang, de pisse et de sperme, avaient comparé les mérites relatifs des radiations, de la noyade, de la mort par le froid, du matraquage, d'une chute du dixième étage. Quelqu'un, peut-être

Harris, avait mentionné une balle dans les tripes. Le gros, qui buvait de la bière en cachette.

Ça fait très mal, avait dit Harris. *Ça dure longtemps.* Et eux tous, qui n'avaient jamais connu la vraie douleur, avaient gravement hoché la tête.

Se tenant aux cloisons pour ne pas tomber, Richards suivit l'étroit couloir. Il passa devant Donahue. Devant Friedman et sa chirurgie dentaire drastique. Ses bras s'engourdissaient de plus en plus, mais la douleur dans son ventre (dans ce qui *avait été* son ventre) ne faisait qu'empirer. Pourtant, il avançait ; son corps éclaté s'efforçait d'obéir aux ordres du Napoléon paranoïaque enfermé dans son crâne.

Mon Dieu, c'est ainsi que va finir ce pauvre Rico ?

Il n'aurait jamais cru qu'il connaissait tant de clichés macabres. En ces ultimes secondes fébriles, son esprit semblait se dévorer lui-même.

Une. Dernière. Chose.

Il trébucha sur le corps de Holloway et se retrouva à plat ventre. Aussitôt, il fut pris d'une irrésistible envie de dormir. Que ce serait bon, un petit somme. Trop fatigant de se lever. Dormir, bercé par le ronronnement d'Otto. S'enfoncer doucement...

Au prix d'un effort gigantesque, il leva la tête. Elle était de pierre, d'acier, de plomb. Les commandes jumelées continuaient leur petite danse. Au-delà, derrière les hublots en plastique, Harding.

Trop loin.

Allongé dans le foin, il dort à poings fermés.

Compte à rebours... 004

A la radio, une voix nasillarde et inquiète disait :

– Votre procédure d'approche, C-Un-Neuf-Huit-Quatre. Vous êtes trop bas. Répondez. Répondez. Vous êtes trop bas. Devons-nous assumer le contrôle ? Répondez, C-Un-Neuf...

– Ta gueule, murmura Richards.

Il commença à ramper vers le tableau de bord. Les pédales se levaient et s'abaissaient à l'unisson. Les manches étaient agités de petites saccades. Il hurla lorsqu'un nouveau coup de poignard le traversa tout entier. Une boucle de ses intestins était restée accrochée au menton de Holloway. Il changea de direction. Alla les libérer. Puis se remit à ramper vers les commandes.

Ses bras devenaient complètement insensibles. Il resta un moment allongé, le nez dans la moelleuse moquette ; il avait l'impression de flotter en apesanteur. Il se força à se redresser et reprit sa reptation.

Le fauteuil de Holloway était aussi haut que l'Everest.

Compte à rebours... 003

C'était bien lui. Gigantesque et massif, s'élevant dans la nuit au-dessus de la ville. Couleur d'albâtre à la lumière de la lune.

Richards tourna le manche à balai. L'avion s'inclina vers la gauche si brutalement qu'il faillit être éjecté du fauteuil. Il essaya de corriger, mais alla de nouveau trop loin. Il sentit le plancher partir vers la droite, tandis que l'horizon basculait.

Maintenant, les pédales. Voilà. Nettement mieux.

Il poussa très doucement le manche. Devant lui, un cadran passa de 2 000 à 1 500 en un clin d'œil. Il n'y voyait plus grand-chose. Son œil droit était presque aveugle. Bizarre que l'autre ne soit pas touché aussi.

Il poussa de nouveau le manche, et eut l'impression

de flotter. 1 500, 1 200, 900... Il ramena le manche vers lui.

– O-Un-Neuf-Huit-quatre... O-Un-Neuf-Huit-Quatre... (La voix était alarmée, maintenant.) Répondez ! Que se passe-t-il ? Répondez !

– Allons, parle ! coassa Richards. Ouah ! Ouah ! Ouah !

Compte à rebours... 002

Lisse et brillant comme une flèche de glace, l'immense avion fendait la nuit. Sous lui, s'étendait le chaos de Co-Op City.

Et juste devant lui, se dressait le Building des Jeux.

Compte à rebours... 001

Comme soutenu par la main de Dieu, le jet géant franchit le canal dans un rugissement de turbines. Un drogué tapi dans une entrée leva la tête et crut avoir une hallucination. L'ultime vision du camé. La chose venait l'enlever, peut-être pour l'emmener au paradis de General Atomics, où l'on mange gratis et où tous les réacteurs sont des surgénérateurs propres.

Aux fenêtres et aux portes, apparurent des visages, pâles flammes ovales. Des vitrines implosèrent. Dans les ruelles étroites, des tourbillons de déchets entamaient une danse de derviches. Un flic laissa tomber son aiguillon, mit les mains sur sa tête et hurla, sans même entendre sa propre voix.

Volant de plus en plus bas, l'avion rasait les toits de

la ville, pareil à une chauve-souris d'argent. L'aile droite manqua la colonne des magasins Glamour de moins de trois mètres.

D'un bout à l'autre de Harding, les gens fixaient avec angoisse et incrédulité leurs écrans de Libertel blanchis par un scintillement de parasites.

Un grondement de tonnerre emplit l'univers.

Killian leva les yeux de son dossier.

Devant lui, le scintillant panorama urbain, de South City à Crescent, avait disparu. Un Lockheed TriStar, vu de face, emplissait tout l'espace. Pendant un bref instant d'incrédulité totale et de surprise horrifiée, à la limite de la folie, il aperçut Richards, le visage barbouillé de sang, qui le fixait de ses yeux noirs brûlants comme ceux d'un démon.

Richards souriait.

Et le menaçait du doigt.

– Jésus...

Ce fut tout ce que Killian eut le temps de dire.

000

S'inclinant légèrement sur l'aile, le Lockheed frappa le Building des Jeux de plein fouet. Ses réservoirs étaient encore presque à moitié pleins. Sa vitesse était légèrement supérieure à huit cents kilomètres-heure.

L'explosion fut prodigieuse. Une pluie de feu s'abattit à des kilomètres à la ronde, illuminant la nuit comme la juste colère d'un dieu courroucé.

2694

Photocomposition PCA - Rezé
Achevé d'imprimer en Europe (France)
par Maury-Eurolivres – 45300 Manchecourt
le 17 mars 2003.
Dépôt légal mars 2003. ISBN 2-290-30671-1
1er dépot légal dans la collection : octobre 1989

Éditions J'ai lu
84, rue de Grenelle, 75007 Paris
Diffusion France et étranger : Flammarion